iPad 便利すぎる! 280

standards

JN111110

c o n t e n t s

SECTION 01 基本の便利ワザ

SECTION 02 メッセージ・メール

SECTION 03 ネットの快適技

SECTION 04 写真・音楽・動画

SECTION 05 仕事効率化

SECTION 06 設定とカスタマイズ

SECTION 07 生活お役立ち技

SECTION 08 トラブル解決とメンテナンス

001

iPadOS 14で、さらに快適になった

iPadOS 14では、多機能に
なったウィジェットや標準アプ
リのパワーアップ、テキスト、
手書き編集機能の強化など、
さまざまなアップデートが施
されている。詳しくは、本書の
記事の「iPadOS 14」マーク
がついている記事をチェック!

iPadを味わい尽くそう！

iPad SPECIAL TECHNIC 280!!

自宅でのネットのお供として、雑誌も読める快適な電子書籍端末として、もしくはパソコンの代わりとなる有能な仕事ツールとして、すっかり生活になくてはならないものになっているiPad。もちろん標準アプリを普通に使うだけでも、とても有意義にiPadは活用できる。しかし、自分に合わせてより使いやすい設定にしたり、趣味を活かすアプリを入れたり、効率を上げられるカスタマイズをしたり、と少し工夫するだけで飛躍的に使い勝手は向上する。また、2020年9月に登場した無料のアップデート「iPadOS 14」では、標準アプリが再設計されたり、Apple Pencilで直接検索できたりと、細かく多方面での機能向上が詰め込まれており、iPadの実力をさらにパワーアップさせてくれた。本書を読み、さらに便利になったiPadをより便利に使いこなしていただければ幸いである。

iPadOS 14が使えるiPadはこれ!

iPad Air シリーズ

ほぼiPad Proと化した、最新鋭iPadがこちら。Touch IDがトップボタンに内蔵され、10.9インチのリキッドレティーナ画面を誇る。仕事にも遊びにも余裕充分なスペックだ。

対応機種
iPad Air 第4世代(10.9インチ)
iPad Air 第3世代(10.5インチ)
iPad Air 2(9.7インチ・販売終了)

iPad Air 第4世代

プロセッサ	A14 Bionicチップ
スピーカー	2スピーカーオーディオ
Apple Pencil	第2世代対応
Keyboard	Magic Keyboard、Smart Keyboard対応
カラー	シルバー、スペースグレイ、ローズゴールド、グリーン、スカイブルー
価格	62,800円〜

iPad シリーズ

2018年発売の第6世代iPad以降の機種がアップデートに対応している。A12 Bionicチップが載り、PencilもSmart Keyboardも使える第8世代はとてもコストパフォーマンスが高いモデルといえる。

対応機種
iPad 第7世代(10.2インチ)
iPad 第5〜6世代(9.7インチ・販売終了)

iPad 第8世代

プロセッサ	A12 Bionicチップ
スピーカー	2スピーカーオーディオ
Apple Pencil	第1世代対応
Keyboard	Smart Keyboard対応
カラー	シルバー、スペースグレイ、ゴールド
価格	37,800円〜

かゆいところに手が届く、見事なアップデートとなったiPadOS 14だが、2014年発売の iPad Air 2や、2015年発売のiPad mini 4にも対応している。初代のiPad Airや、iPad mini2/3はアップデートできない状況となっている。iPadOS 13のときの機種と同じだ。

iPad Pro シリーズ

全面ディスプレイのiPad Proシリーズはもちろん、初代の9.7/12.9インチも、iPadOS 14にアップデート可能だ。iPadOS 14を堪能するにはスペック的に最適の機種といえる。

対応機種
iPad Pro 第3世代以降（11、12.9インチ）、
iPad Pro 第2世代（10.5、12.9インチ・販売終了）、
iPad Pro 第1世代（9.7、12.9インチ・販売終了）

iPad Pro 11インチ

プロセッサ	A12Z Bionicチップ
スピーカー	4スピーカーオーディオ
Apple Pencil	第2世代対応
Keyboard	Magic Keyboard、Smart Keyboard対応
カラー	シルバー、スペースグレイ
価格	84,800円〜

iPad mini シリーズ

2019年に待望の再登場を果たしたiPad mini（第5世代）をはじめ、2015年発売のiPad mini 4もアップデートできる。第5世代miniはApple Pencilも使え、凝縮感のあるRetinaパネルがポイントとなっている。

対応機種
iPad mini 第5世代（7.9インチ）
iPad mini 4（7.9インチ・販売終了）

iPad mini 第5世代

プロセッサ	A12 Bionicチップ
スピーカー	2スピーカーオーディオ
Apple Pencil	第1世代対応
Keyboard	非対応
カラー	シルバー、スペースグレイ、ゴールド
価格	45,800円〜

本書の見方・使い方

 ┄┄┄ 「マスト!」マーク
280のテクニックの中でも多くのユーザーにとって有用な、特にオススメのものをピックアップ。まずは、このマークが付いたテクニックから試してみよう。

 ┄┄┄ 「上級技!」マーク
やや難度の高い技や、少しマニアックなテクニックにはこのマークがついています。

 ┄┄┄ 「iPadOS 14」マーク
iPadOS 14で新たに使えるようになった技にはこのマークがついています。

片手キーボードPRO
作者／TAWASHI KAMEMUSHI
カテゴリ／ユーティリティ
価格／490円

QRコード
本書ではアプリを紹介する際に、QRコードを掲載しているが、このQRコードは、iOS 11以降のiPadならば標準のカメラアプリで簡単に読み取れる。以下の手順でアプリのインストールを進めていこう。

QRコードの利用方法

1 カメラで読み取る
QRコードの掲載されたページでカメラアプリを起動するとすぐにQRコードを感知してくれる。「○○○〜をSafariで開く」をタップしよう。

2 アプリページへ
するとApp Storeの該当アプリのページにアクセスするので、「入手」もしくは価格の表示された部分をタップしてインストールしよう。

掲載アプリINDEX
巻末のP150にはアプリ名から記事を検索できる「アプリINDEX」を掲載。
気になるあのアプリの使い方を知りたい……といった場合に参照しよう。

SECTION 0 1

基本便利技

iPadシリーズの、まずは理解しておきたい基本機能や、
標準搭載ながらもすぐには気づきにくい便利機能など、
ひとまず設定しておきたいポイントを総まとめ。

マスト！ iPad OS14

001 ホーム画面 機能向上した ウィジェットを活用する

アプリアイコンのように ウィジェットが 操作できる

　iPadOS 14では画面左端から右へスワイプしたときに表示されるウィジェットのデザインが一新され、使いやすくなった。画面の左側内に限定されるが、ドラッグで自由に位置を変更したり、長押しメニューで各ウィジェットの設定を変更できる。

　また、「スタック」と呼ばれる整理機能が追加され、複数のウィジェットを1つにまとめることが可能になった。上下スワイプでスタック内のウィジェット表示を切り替えることができる。スマートローテーションを有効にすれば、時間やアプリの使用頻度に応じて、ウィジェットを自動で切り替え表示してくれる。

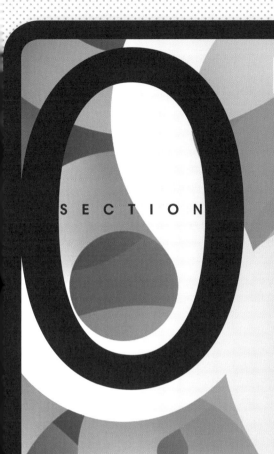

ドラッグして位置を変更する

長押しでメニューを表示する

1 長押しとドラッグで ウィジェットを操作する

ウィジェットを長押しするとメニュー画面が表示され、ウィジェットの削除やスタック内の並び順を変更できる。また、ドラッグするとウィジェットの位置を変更できる。

iPhoneではホーム画面上に自由にウィジェットを配置できるが、iPadではウィジェットを置ける位置が左側の「今日の表示」内のみである点に注意。

2 スタックを編集する

ウィジェットをほかのウィジェットに重ね合わせるとスタックが作成される。「スタックの編集」で表示順やスマートローテーションの有効設定ができる。

長押しして「スタックを編集」をタップ

002

テキスト操作

テキストの選択・コピペが
超簡単にできる

タップの回数で
選択範囲を
変更できる

iPadOSではテキストの範囲選択やコピー、ペーストまわりの操作が以前よりも簡単にできる。テキスト群を1度タップすると通常のカーソル、2度タップすると単語を選択、3度タップすると1つの段落を範囲選択できる。指でカーソルを動かして範囲調整する必要がない。

また、選択した範囲を3本指でピンチインすればコピー、貼り付けたい場所にカーソルをあわせ3本指でピンチアウトすればペーストすることができる。

2度タップで文字を選択

タップの回数で選択範囲を変更

テキストを2度タップすると単語が選択される。テキストを3度タップすると一文が範囲選択される。

3度タップで一段落選択

2 3本指でのピンチ操作で
コピー＆ペーストをする

範囲選択した状態で3本指でピンチインでコピーできる。また、コピーした内容を3本指でピンチアウトでペーストできる。

3本指でピンチインでコピー

3本指でピンチアウトでペースト

003

手書き文字

「メモ」アプリで手書きした
文字をコピー＆ペーストする

テキストのように
手書き文字を
処理できる

手書きした文字を切り取ったり、コピー＆ペーストする際は、通常「投げ縄」ツールを使って対象となる部分を範囲選択する必要がある。しかし、iPadOS 14の「メモ」アプリでは、通常のテキストと同じように手書き文字でもカーソルを使って範囲選択して、切り取りやコピー＆ペースト操作ができる。

手書きした文字をタップすると、文字の上下に範囲選択カーソルが表示され、選択した状態になる。カーソルを左右にドラッグすれば手書き文字の選択範囲を変更することが可能だ。なお、2回タップで単語選択、3回タップで一文選択もできる。

タップして選択した状態にする

ドラッグして移動する

1 文字を選択して移動する

「メモ」アプリで手書きした文字をタップする。するとその文字が選択された状態になるのでドラッグしてみよう。移動することができる。

2 選択範囲を調整する

上下に表示されるカーソルをドラッグして移動させることで選択範囲を調整することもできる。また、メニューからコピーやカットなどの操作ができる。

カーソルを移動して選択範囲を調整する

004 日本語入力 非常に使いやすい日本語入力をマスターする

フローティングキーボードで片手で文字入力をする

iPadを使って文字入力するには、iPhoneやほかのスマホと同じく画面を直接指でタッチするスクリーンキーボードを使うのが一般的だが、画面が大きいこともあって文字入力しづらかった。しかし、現在のiPadでの文字入力操作まわりが大幅に良くなっている。

まずは「フローティングキーボード」を使ってみよう。有効にするとキーボードがスマホサイズの小さなキーボードサイズに変化し、片手で楽々と文字入力が行えるようになる。スマホのフリック操作入力に慣れている人に便利な機能だ。また、フローティングキーボードは画面上の好きな場所に自由に移動させることができる。以前にあった分割キーボード機能がアップデートされたものと思えばよいだろう。

キーボード入力時の操作感が改善

iPadで原稿作成や長文メールなどを作成する際は、外付けハードウェアキーボードを利用したほうが効率的に文字入力が行える。しかし、iPadではPCのキーボードとはやや異なる動作をするためこれまで使いづらくもあった。iPadOSではこうしたキーボード入力周りが日々改善されている。たとえば、日本語のあとにスペースキーを押すと全角スペース、英語のあとにスペースキーを押すと半角スペースキーが入力されるなど半角と全角の区別をしてくれるようになっている。

音声入力操作まわりも改善されている。ユーザーが話している言語を自動的に検知し、デバイス上で有効になっているキーボード言語から適当なものを選んで入力してくれる。これまでのように対象の言語キーボードに切り替えてから音声入力を有効にする必要がなくなった。

使いやすくなったiPadOSの文字入力

1 フローティングキーボードを有効にする

フローティングキーボードを有効にするにはキーボード上でピンチイン。するとスマホサイズのキーボードに変更する。ピンチアウトで元のキーボードに戻る。

2 好きな場所にキーボードを移動する

フローティングキーボードの下にあるつまみをドラッグして、画面の好きな場所に移動できる。スマホ操作に慣れている人ならフリック入力を使いこなそう。

3 半角スペースと全角スペースを自動で判断して入力

前の文字が英語のときにスペースキーを押すと半角スペース、前の文字が日本語のときにスペースキーを押すと全角スペースを入力してくれる。

4 外付けキーボード装着時の文字入力が快適に

外付けキーボード装着時に文字入力すると、文字変換候補は入力した文字列のすぐ下に表示される。また、タブキーを打つと予測変換候補の選択ができるようになった。

5 ピリオド、句点、小数点をきちんと判断して入力

日本語キーボード使用時でもピリオド、句点、小数点の使い分けをきちんと判断して入力してくれる。たとえば、「3.5」と入力しようとしたら「3。5」と入力されることはなくなった。

6 音声入力時は自動で言語を判断

これまで音声入力する際は入力したい言語のキーボードを表示してから音声入力モードに切り替える必要があったが、iPadOSでは自動で言語を判断して入力してくれるようになった。

005

Mac連携

Macの外部ディスプレイにも液タブにもなる「サイドカー」

Mac上にあるファイルやMac専用アプリをiPadで使うことができる

パソコンにMacやMacBook Proを使っており、macOS「Catalina」以降のユーザーであれば、試して欲しい機能が「サイドカー」だ。

サイドカーはiPadを外部ディスプレイとして利用できるようにしてくれるMacの機能。MacとiPadをUSBケーブルで接続するだけで簡単にiPadをMac用ディスプレイとして使えるようにしてくれる。メインディスプレイで作業中にiPadのサブディスプレイでほかのアプリケーションを参照したいときに便利だ。

サイドカーはMacで表示している内容をミラーリングして両方のデバイスで同じコンテンツを表示して、iPad上で行ったタッチ操作やApple Pencilで操作した内容をMacに直接反映させることができる。つまり、液晶タブレットとしてiPadを活用でき、MacのグラフィックアプリをiPadで使ったり、Mac上にあるPDFをiPadとApple Pencilを使って注釈を加えることができる。

さらに、サイドカー独自のメニューも用意されている。iPadの画面左端にサイドカーのメニュー「サイドバー」が表示され、これを使ってキーボード操作を行える。サイドバーにあるキーボードボタンをタップしてフローティングキーボードを表示させてテキスト入力を行おう。

なお、サイドカー起動中でもほかのアプリに切り替えて使うことができる。ホーム画面に戻るとDockバーにサイドカーのアイコンが表示されるので、それをタップすると再びサイドカーの画面に切り替わる。

サイドカーを使ってみよう

1 システム環境設定から「Sidecar」をクリック

「Sidecar」をクリック

Macのシステム環境設定を開き「Sidecar」をクリック。なお、すべてのMacには対応しておらずMacBook Airなど一部のMacは利用できないこともある（基本的には2016年以降に発売になった機種が対象となる）。

2 接続するiPadを選択する

接続するiPadを指定する

Sidecar設定画面が表示される。MacとiPadをUSBケーブルで接続し、「接続先」のプルダウンメニューを開き、Sidecarを利用するiPad端末を指定しよう。

3 iPadがMacの画面に切り替わる

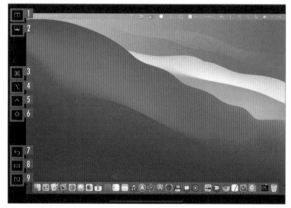

1 iPadでウインドウをフルスクリーンで表示しているときにメニューバーの表示／非表示

2 画面下部からDockを引き出す／隠す

3 commandキー

4 optionキー

5 controlキー

6 shiftキー

7 1つ前の操作に戻る

8 キーボードを表示/非表示

9 接続の解除

iPadの画面がMacの画面に切り替わる。標準ではMacのデスクトップの右側に位置する状態になっており、標準ではマウスカーソルを右へ移動するとiPadにマウスカーソルが表示される。

4 MacのDockを表示させる

タップ

MacのDockをiPad側の画面に表示させたい場合は、サイドバーにあるDockボタンをタップしよう。下からDockが表示される。

5 キーボード入力

下のつまみで好きな位置に移動できる

タップ

テキスト入力をする場合は、サイドバーのキーボードボタンをタップ。フローティングキーボードが現れるので、好きな位置に移動させて入力を行おう。

006

ファイル管理

便利な「ファイル」アプリを使いこなそう

新機能が追加され操作性が超向上した「ファイル」アプリ

iPadにはiCloud Driveに保存したファイルを管理したり検索するアプリとして「ファイル」アプリが標準で搭載されている。「ファイル」アプリはiCloud Driveだけでなく、OneDriveやDropboxなどのほかのアプリ内に保存しているデータにもアクセスして、iPad全体のファイルを一元管理できる便利なアプリだ。iPadOSの「ファイル」アプリは日々アップデートされている。

特に注目されているのはiPadにUSBメモリや外付けストレージを接続してファイルを扱えるようになった点だ。外部ストレージをうまく利用することでiPadのストレージの空き容量の不足を解消でき、iPadからPCやほかのデバイスへのファイル移動もスムーズに行えるだろう。また、ファイルサーバアクセス機能も追加され、SMBを使って「ファイル」アプリからファイルサーバや自宅のコンピュータに接続することができる。

ZIP形式の圧縮と解凍にも対応。ファイルを複数選択してZIP形式で圧縮してEメールに添付できる。逆にZIPファイルをタップすると解凍して、中のファイルにアクセスできるようになった。

操作方法も快適になっている。ファイルを長押しときにメニューが表示されるようになり、コピー、削除、移動などの各種ファイル操作が素早く行える。ほかにiPadアプリで作成したファイルを「ファイル」アプリに保存する際、自由に名前を付けて保存できるなどちょっとした改善点も多数ある。

多機能な「ファイル」アプリを使ってみよう

1 ファイルを長押ししてメニューを表示する

「ファイル」アプリ内にあるファイルを長押しするとメニューが表示される。「圧縮」を選択するとファイルを圧縮できる。

2 新しいウインドウを開いてファイルを移動する

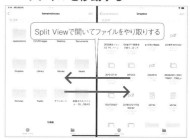

手順1の長押しメニューで「新規ウインドウで開く」を選択すると、Split Viewで選択したファイルやフォルダを開くことができる。フォルダ間でファイル移動をしたいときに便利だ。

3 外部ストレージからファイルを読み書きする

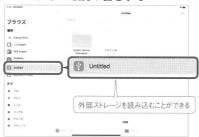

USBポート経由で接続したUSBメモリや外部ストレージを認識してファイルを読み込むことができる。iPadから外部ストレージへファイルをコピーすることもできる。

4 外部サーバに接続する

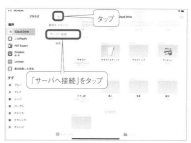

外部サーバに接続することもできる。サイドメニューの右上にある「…」をタップして「サーバへ接続」をタップする。

5 サーバアドレスを入力する

サーバに接続するサーバアドレスを入力しよう。Macに接続する場合は「smb://IPアドレス」となる。入力したら「接続」をタップしよう。

6 共有メニューから名前を付けて保存する

各アプリの共有メニューから「ファイル」アプリにファイルを保存する際、自由に名前を変更して保存できるようになっている。

007 基本操作 iPadのジェスチャー操作を
再度確認して使いこなそう

約30ものブラウザ操作を
ジェスチャー操作に
割り当てることができる

iOSのバージョンがアップする
たびに、画面をスワイプしてさまざ
まな機能を呼び出すジェスチャ機
能は改良されている。iPad初心者
はもちろんのこと、これまでiPadを
使っていたユーザーも新しくなった
ジェスチャ操作を知らないと、目的
の機能をうまく呼び出せなくなるの
で、基本的なジェスチャを見直して
おこう。

現在のiOSのジェスチャ操作
は、ホームボタンを取り除いた新型
iPad ProやiPhone Xシリーズに
対応した仕様となっている。代表的
なジェスチャは、画面下から上方向
にフリックすると実行される「ホーム
画面に戻る」操作だ。ホームボタン
を押さなくてもホーム画面に戻るこ
とができる。

画面下から上方向に指を離さず
ゆっくりスワイプし、画面中央あた
りで指を止めるとAppスイッチャー
が起動する。Appスイッチャーでは
バックグラウンドで起動しているア
プリに切り替えたり、アプリを完全
に終了させることができる。

コントロールセンターを表示させ
るには、iPad画面右上の隅から下
方向へフリック、またはスワイプしよ
う。独立したコントロールセンター
が表示される。

また、アプリ起動中に画面左下
から右へスワイプすると、1つ前に
利用したアプリに切り替えることが
でき、切り替えた後に画面右下か
ら左へスワイプすると元のアプリに
戻ることが可能だ。2つのアプリを
切り替えて見比べ作業をするとき
に便利なジェスチャ操作といえるだ
ろう。

また、iPadの画面が横向きのと
きにかぎりホーム画面左端から右
へスワイプした際にホーム画面内
にウィジェットを固定表示できる。

※フリック:素早く指を弾く指操作／スワイプ:ゆっくり指を滑らす指操作

iPadの便利なジェスチャ操作をマスターしよう

1 画面下から上にスワイプ してホーム画面に戻る

画面下から上へフリック

ホーム画面に戻るには、画面下から上へ弾くようにフリッ
クしよう。ホームボタンのない iPad Pro、最新の Air で
は必須の操作となる。

2 画面下から上へスワイプ して中ほどで止める

画面下からゆっくり中
央までスワイプする

画面下から上へ指をゆっくりスワイプして画面中央あたり
で止めると App スイッチャーが表示される。

3 コントロールセンターを 表示させる

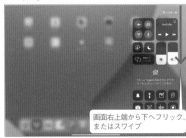

画面右上端から下へフリック、
またはスワイプ

コントロールセンターを表示させるには、画面右上端から
下へフリック、またはスワイプしよう。

4 1つ前に使ったアプリ を表示させる

画面左下から右へスワイプする

画面左下から右へ指をスワイプすると、1つ前に使った
アプリが表示される。バックグラウンドで起動した状態に
なっていれば、さらに前のアプリを表示させることができ
る。

5 ウィジェットをホーム画面に 表示させる

左端から右へスワイプ

iPadOS がインストールされた iPad を横向きにした状態
でウィジェットを引き出すとホーム画面内に固定表示され
る。

point

Dockを表示させる場合に
注意しよう

iOS 11 から iPad ではアプリ起動中でも画
面下から上へスワイプすることで Dock を表示
させることができるようになったが、「ホーム画
面に戻る」ジェスチャと認識しされることもあ
る点に注意しよう。Dock を引き出す際は画面
下からゆっくり少しだけ指をスワイプさせるこ
と。素早い
フリック操
作を行うと
ホーム画面
に戻ってし
まう。

画面下から上へゆっくり
スワイプする。

008 手書き文字 検索などに超便利！ Pencilでスクリブルを使う

検索フィールドに手書き文字をPencilで書き込み検索する

iPasOS 14ではApple Pencilに新しく「スクリブル」機能が追加された。スクリブルとは手書きした文字をテキストデータに自動変換してくれる機能で、素早くメモした内容をあとでテキストデータとして活用したいときに役立つ。

これまでもスクリブル機能を搭載したアプリはあったが、そのアプリでしか利用できなかった。しかし、Apple Pencilのスクリブル機能はあらゆる場所で描いた手書き文字をテキストデータ化することが可能。たとえば、Safariのアドレスバー上で、検索ワードを手書きして検索できる

1 スクリブルを有効にする・試す

Apple Pencilのスクリブル機能を利用するには設定画面から「Apple Pencil」を開き、「スクリブル」を有効にする。

2 Safariのアドレスバーに手書きする

Safariのアドレスバーに英語で検索ワードを手書きすると自動的にテキスト形式に変換される。なお、現在日本語には対応していない。ただし漢字だけの場合は、中国語として認識され正しく変換される場合もある。

009 基本操作 ドラッグ&ドロップでアプリ間でデータをやり取りする

画面分割後に「ドラッグ&ドロップで作業を効率化できる

アイコンやテキストなどのデータをほかのアプリにコピーするときに利用する「ドラッグ&ドロップ」操作は、iPadでは以前まではホーム画面上ぐらいでしか利用できなかった。しかし、Split ViewやSlide Overの登場以降アプリ間でドラッグ&ドロップでデータのやり取りが可能となった。Split ViewやSlide Overで対象のアプリを同時に開いたあと、対象のデータをドラッグ&ドロップで移動させよう。さまざまな編集作業が一気に効率化するだろう。

1 ドックからアプリをドラッグしてSplit Viewを起動する

Split View で画面を分割するには、画面下から上に軽くスワイプしてドックを表示する。分割表示したいアプリアイコンを少し長押ししてドラッグして画面右端へドロップする。なお、Split View 非対応のアプリはSlide Over 形式となって表示される。Dock のアプリを固定する方法は、118 ページ 213 番の記事を参照。

2 データを選択してドラッグ&ドロップする

Split View 状態になりアプリが並列表示される。あとは片方のアプリから移動するデータを範囲選択してもう片方のアプリにドラッグ&ドロップすればよい。

010

手書き

テキストメモと一緒に手書きメモを添付できる「インラインスケッチ」

メモ内の好きな位置に手書きのメモを作成して保存する

iPadの「メモ」アプリには以前から手書き機能が搭載されている。Apple Pencilがなくても指で手書きできるので素早くメモを取りたいときに便利だ。「メモ」アプリで手書きを利用するには画面右上の鉛筆アイコンをタップしよう。「インラインスケッチ」と呼ばれるパレットが表示され、ペンとカラーを選択してメモ上の好きな場所で手書きのドローイングが行える。作成後は投げ縄ツールや消しゴムを使って手直しすることが可能だ。なお、手書きメモは範囲選択してほかのアプリにドラッグ&ドロップでコピーしたり、カット&ペーストすることもできる。

1 インライン描画を有効にして手書きしよう

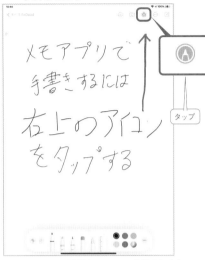

インラインスケッチを利用するには、メモ作成画面で右上にある鉛筆アイコンをタップする。するとテキスト本文下にツールが表示され手書きできるようになる。

2 作成した手書きメモをコピーする

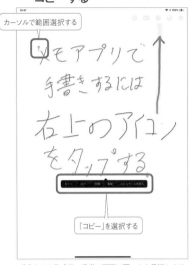

手書きメモ作成後、通常の画面に戻ったら長押しする。範囲選択カーソルでコピーしたい部分を指定し、メニューから「コピー」を選択しよう。

011

メモ

意外に便利なメモアプリのスキャン機能

iPadの「メモ」アプリには紙の書類を直接撮影して保存する機能が搭載されている。紙の四隅を自動で認識して撮影し、また複数の書類がある場合は連続して撮影することで1つにまとめることができる。

OCR機能こそ搭載されていないもののほかのスキャンアプリと異なりインラインスケッチとの連携性が高いのが特徴で、保存された書類をApple Pencilでタップすると画面下部からインラインスケッチに切り替わり、書類に直接手書きの注釈を描くことが可能だ。

メモで新規メモを作成したら、右上のカメラボタンをタップして「書類をスキャン」をタップして、書類をスキャンしよう。

スキャンされた書類をタップしてレタッチ画面が表示されたら、Apple Pencilでタップする。インラインスケッチに切り替わり手書きで注釈を入力できる。

012

iPad OS14

メモ

手書きの図形がきれいな形に修正される

iPadOS 14の「メモ」アプリの手書き機能では、手書きで円や四角や星などの図形を描いた際に、自動で補正してくれる機能が追加されている。利用するには、図形を描いたあとに画面からペンをすぐに離さず少し止めておき、自動補正された図形が表示されたらペンを離せばよい。

なお、直線を描くと真っ直ぐな直線に補正してくれる。メモの重要部分に下線を引きたいときにも便利だ。

図形を描いた後、画面からペンを離さず止めると自動補正してくれる

テキスト入力

013 登録された予測変換を削除する

　iPadで文字入力していくと、よく変換するワードが学習され次回以降、その単語が変換候補として表示されるようになる。これは非常に便利な機能なのだが、間違えて変換してしまった単語が学習されることもあり、

学習した予測変換を消去したい場合もあるだろう。設定を開いて「一般」→「リセット」→「キーボードの変換学習をリセット」をタップ。学習された予測変換がすべてクリアされる（ユーザ辞書はクリアされない）。

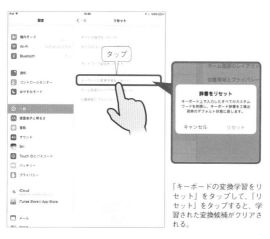

「キーボードの変換学習をリセット」をタップして、「リセット」をタップすると、学習された変換候補がクリアされる。

辞書

014 iOS標準の辞書機能を利用する

　iPadには、標準で辞書が内蔵されており、テキスト編集のメニューから選択した単語の和訳や意味を簡単に調べることができる。Safariやメモ帳などのテキストを選択し、ポップアップメニューの「調べる」をタップすれば、辞書の検索結果が表示される。選択した単語に

よって検索される辞書が自動的に選ばれ、日本語を選択すれば国語辞典やWikipediaなどからその単語の意味を表示してくれる。

調べたい文字を選択してメニューから「調べる」をタップ。文字選択ができるなら、どのアプリからでも辞書を検索できる。日本語だけでなく英語の単語の意味も調べられる。

キーボード

015 半角英文字の最初の大文字を防ぐ方法

　半角アルファベットを入力する際、勝手に文頭の文字が大文字になってしまうことがある。これは自動的に文頭を大文字にする補正機能が有効になっているため。設定の「一般」→「キーボード」→「自動大文字入力」

をオフに設定することでこの機能が無効になる。逆に英文字を常に大文字で入力したい場合は、「↑」や「shift」を素早く2回タップすればCAPS LOCK状態になり、「↑」をタップするまでは続けて入力できる。

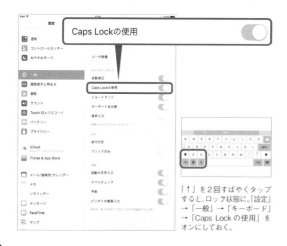

「↑」を2回すばやくタップすると、ロック状態に。「設定」→「一般」→「キーボード」→「Caps Lockの使用」をオンにしておく。

電話

016 iPhoneにかかってきた電話をiPadに着信させ通話する

　iPadではiPhoneにかかってきた電話をiPadで着信し、マイクとスピーカーで通話する「iPhoneセルラー」機能が搭載されている。iPadをiPhoneの子機代わりとして利用でき、離れた場所にあるiPhoneに着信があったときでも、手元のiPad

で着信して通話することが可能だ。逆に電話をかけることもできる。なお、iPhoneセルラーはFaceTimeの一機能のためFaceTimeを事前にiPadにインストールしておき、iPhoneと同じApple IDでログインしておく必要がある。

FaceTimeの「設定」画面を開き、FaceTimeを有効状態にして、「iPhoneから通話」を有効にしておこう。

iPhoneの回線を利用して電話の着信ができるようになる。iPadから電話する場合は「連絡先」アプリに登録している電話番号をタップすればよい。

上級技 キーボード
017 キーボードを切り替えずに記号や文字を入力する

数字や記号やアルファベットが混在しているテキストを入力する際、いちいち文字種を切り替えたり、シフトキーを押すのは面倒だ。iPadユーザーなら覚えておくと入力が楽になるのが「Quick Type」機能だ。QWERTYキーボードを使っている

ときに限って、キーを上下にフリックするだけで文字種を切り替えることができる。使いこなせれば文字、数字、記号、句読点もすべて1つのキーボードで打てるようになる。

英語キーボードを使っているとき、キーを上下にフリックすると文字種を切り替えて入力することができる。

基本操作
018 2ファクタ認証を使ってiPadを安全に使う

iPadに登録しているiCloudアカウントは、メールや連絡先など様々な個人情報が保存されている。万が一、iCloudのApple IDとパスワードが第三者に知られてしまうと、これらの情報を知られるのはもちろん、最悪「探す」機能を悪用してロックしたり初期化されることも考えられる。そのような不正アクセスを防止する機能が「2ファクタ認証」だ。これを設定すれば、ログインするときに電話やSMS認証が必要になるので、第三者からの不正ログインを防ぐことができる。ただし、2ファクタ認証設定後、二週間を超えると解除できなくなるので注意しよう。

タップして2ファクタ認証の手続きを行う

設定を開き、iCloudにログイン。アカウント名をタップして「パスワードとセキュリティ」をタップして、「2ファクタ認証を有効にする」をタップ。

2ファクタ認証の手続きを終えると「オン」になる。なお、2ファクタ認証手続きを行ってから2週間以内であればオフにできるが、2週間を超えると解除できなくなるので注意。

iPadOS14 マウス
019 マウスでiPadを操作する

ノートパソコン並にiPadが使えるようにカスタマイズしよう

iPadOSからマウス操作がサポートされ、マウスのカーソル操作やクリック操作ができるようになった。直接、指で画面に触れなくてもUSB、またはBluetooth経由で接続したマウスで操作できるので、iPadに外付けキーボードを取り付けノートパソコンのように操作したいiPad Proユーザーにとって嬉しい機能だ。以前は、USB接続やBluetoothでiPadをペアリングをしただけでは利用できず「AssistiveTouch」を有効にする必要があったが、iPadOS 14ではマウスを接続したらすぐに使えるようになっている。

マウスカーソル
ドラッグするとスワイプやフリック操作になる

1 マウスを接続したらすぐに使える

最新のiPadOSではマウスを接続すると自動でマウスポインタが表れ、操作ができる。スワイプする際はマウスボタンを押したまま左右上下にドラッグさせよう。

右ボタンをクリックして長押しメニューを表示させる

2 右クリック操作ができる

マウスの右ボタンをクリックすると、長押ししたときに表示されるメニューが表示される。なお、マウスの左ボタンを長押ししても同じ操作ができる。

020

マスト！

手書き　**写真にマークアップツールを使おう**

iPadOSのアップデートにあわせて利用できるツールが増加

写真に手書きで文字を入力したり、落書きする場合は「マークアップ」ツールを使おう。「メモ」アプリのインラインスケッチと非常によく似た機能で、定規ツールを使って直線を引いたり画面上の長さや角度が測ることができる。また、テキスト入力、署名、シェイプなどのマークアップならでは機能も利用できる。なお、Apple Pencilでも指でもマークアップを利用することができる。

マークアップを利用するには「写真」アプリで写真を開いたあと「編集」ボタンをタップ。右上の「…」をタップするとマークアップが起動する。

1 ペンの太さをカスタマイズする

アクティブ状態のペンをタップしてペンの太さを調節する

ペンの太さをカスタマイズするには、対象のペンをアクティブにしたあと、ペンをタップする。調節画面が表示されるのでペンの太さを調節しよう。

2 定規ツールで直線を引く

1本指で移動、2本指で角度調整する

定規に沿って線を引く

定規ツールをタップすると定規が表示される。指でドラッグし、2本指で回転して角度を調整する。定規に沿ってペンを引くと直線が描ける。

021

基本操作　ナイトシフトでブルーライトをカットして目を守る

iPadのディスプレイの光がチカチカして、目が痛い人は「ナイトシフト」に切り換えよう。ブルーライトを軽減して、目への刺激を和らげてくれる。また、手動で設定を有効にする以外に、指定した時刻間のみ自動でナイトシフトモードにすることも可能。睡眠前から起床までの時間帯をナイトシフトモードにしておけば、心地よい眠りにつけるだろう。色温度をカスタマイズすることも可能だ。なお、この機能はiPad Pro、iPad Air以降、iPad mini 2以降のみ利用できる。

有効にする

ナイトシフトモードが有効になる時間を指定する

「設定」から「画面表示と明るさ」を開き、「Night Shift」に移動。「手動で明日まで有効にする」を有効にしよう。

「時間指定」を有効にして、指定した時刻間のみ自動でナイトシフトモードにすることもできる。

022

ダークモード　黒を基調とした暗めのダークモードに変更する

iPadにはインタフェース全体を黒を基調とした暗めな配色にする「ダークモード」設定が用意されている。ダークモードに変更すると文字やケイ線が通常よりもくっきりと見えやすくなるため、暗い場所で利用するのに効果的だ。目の疲れを軽減する効果があるといわれている。また、自動ボタンを有効にすれば、指定した時間帯になると自動的にダークモードに変更できる。

「ダーク」にチェックを入れる

自動モードを有効にする

ダークモードにする時間帯を指定する

「設定」画面を開き「画面表示と明るさ」を開く。外観モードの「ダーク」にチェックを入れるとダークモードに変更できる。

「自動」ボタンを有効にすると指定した時間帯になると自動でダークモードに変更する。「オプション」で時間帯を設定することができる。

023

マルチタスク

マルチタスク機能を使って
複数のアプリを同時に操作する

Slide Overや Split Viewが さらに便利になった

iPadで複数のアプリを同時に並べて作業をするのに欠かせない機能といえばアプリの上に別のアプリを重ねるように表示する「Slide Over」だろう。アプリ起動中にDockに登録しているアプリを画面上にドラッグ&ドロップすることで有効にできる。ブラウザで閲覧中のページ内容を「メモ」アプリでメモしたり、作業しながらSNSのタイムラインをチェックしたりするときに便利だ。

Slide Overはアップデートするたびに少しずつ改良されている。一度操作を見直そう。これまでSlide Overで起動しているアプリを切り替えるには、毎回Dockから別のアプリをドラッグ&ドロップし、現在起動しているアプリを一度閉じる必要があった。現在は別のアプリに切り替えてもアプリは終了されずバックグラウンドで開いた状態となっている。Slide Over上で下から上へスワイプするとAppスイッチャーが表示され前に開いたアプリに切り替えることが可能だ。これにより、「メール」アプリやSNSのタイムラインをサクサクと切り替えてチェックできる。

また、アプリを並列して表示するSplit Viewも強化されている。Split Viewで作成した並列したアプリを解除しないまま、ほかのアプリを起動できる。作成したSplit ViewはAppスイッチャーで切り替えることが可能で、また複数のSplit Viewを作成することができる。

便利なSlide OverやSplit Viewを使おう

1 Dockに利用するアプリを 登録しておく

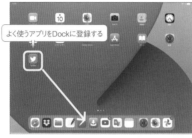

よく使うアプリをDockに登録する

Slide OverやSplit Viewを使いこなすには利用する予定のアプリをまずDockに登録しておこう。Dockのアプリを固定する方法は、118ページ213番の記事を参照。

2 Slide Overでアプリの上に 別のアプリを重ねる

②アプリをドラッグ&ドロップ

①上にスワイプしてDockを引き出す

Slide Overを利用するにはアプリ起動中にDockを引出し、重ねて表示したいアプリを少しだけ長押ししてから画面右にドラッグ&ドロップする。

3 Silde Overを操作する

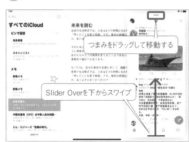

つまみをドラッグして移動する

Slider Overを下からスワイプ

Slider Overが起動しアプリが重なるように表示される。上のつまみをドラッグして左右に移動できる。新しいSlide Overの機能を利用するには下からスワイプしよう。

4 以前に利用したアプリに 切り替える

タップしてアプリを切り替える

Appスイッチャーのように前にSlide Overで起動したアプリが表示される。アプリを選択すると素早くSlide Over上のアプリを切り替えることができる。

5 Split Viewでアプリを 並列表示する

右端までドラッグしてドロップ

Split Viewを利用するにはアプリ起動中にDockを表示し、Dock上のアプリを画面右端までドラッグ&ドロップしよう。

6 Split Viewのまま Appスイッチャーを起動する

Appスイッチャーを起動する

Split Viewの状態のまま画面下から上へスワイプしてAppスイッチャーを起動しよう。Split Viewを解除することなくほかのアプリに切り替えることができる。

マスト! 024 マルチタスキング
動画鑑賞しながら ほかのiPad作業をする

「ピクチャ・イン・ピクチャ」は動画を鑑賞しながらほかの作業をするときに便利なマルチタスキング機能。FaceTimeのビデオ通話中や「Apple TV」アプリで動画を再生中に縮小ボタンをタップすると、iPadの片隅に縮小表示させながらほかのアプリを利用することができる。縮小表示されたビデオ通話や再生画面は、表示位置を変更したりサイズを変更することができる。ながら作業をしたい人は使いこなそう。

タップ

「Apple TV」アプリ（旧「ビデオ」アプリ）で動画を再生中、左上にある縮小ボタンをタップ。

プレイヤーを縮小してiPadの画面に片隅に設置してほかのアプリを利用することができる。

025 入力
英字キーボードの 予測変換をオフにする

iPad標準の英字キーボードで英文を入力すると、次に入力すると思われる英単語の候補をキーボード上部に表示してくれる。素早く英文が入力でき便利なものの、アカウントIDやパスワードまで予測入力単語として表示することもあるため、複数の人でiPadを共有している環境や、iPadが盗まれたときにプライバシーが漏れてしまう危険が高い。この機能をオフにするには、キーボード設定画面の英語キーボード設定項目で、「予測」をオフにすればよい。

スイッチをオフにする

「設定」→「一般」→「キーボード」と進み、「英語」の「予測」のスイッチをオフにしよう。

上級技 026 入力
カギ括弧をフリックで 素早く入力する

キーボード入力をしていて、イライラするのがフリックキーボード使用時におけるカギ括弧入力。わざわざキーボードを切り替えたり、辞書登録するなど面倒だ。しかし、iPadのキーボードでは、「や」を長押しして左右にフリックすることで入力可能となっている。iPadだけでなくiPhoneユーザーにも便利な機能だ。iPadでフリックキーボードに変更するには、「日本語（かな）」キーボード画面でフローティングキーボードに切り替えればよい。キーボードボタン長押しから切り替えることができる。

キーボードアイコンを長押しして「フローティング」を選択

「日本語（かな）」キーボード画面でフローティングキーボードに変更する。フリックキーの「や」を長押しするとカギ括弧が現れる。

027 入力
日付・時刻の 表示形式を変更する

以前のiOSではiPadの上右端に時刻だけが表示されていたがiOS 12以降では左端に表示され、また日付や曜日も表示されるようになった。

日付と曜日の表示形式は、「設定」の「一般」にある「日付と時刻」で変更することができる。

「24時間表示」をオフにすると「午前」や「午後」の文字とともに12時間表示に切り替わる。また、以前の表示形式のように時間だけを表示させるように設定を戻すよう変更できるほか、取得する都市の時間帯を手動で変更することもできる。

「設定」アプリから「一般」→「日付と時刻」へ進む。「24時間表示」をオフにすると「午前」や「午後」の文字が追加され、12時間表示に変更される。

上3つのスイッチをオフにする

以前の時刻のみの表示形式に変更したい場合は、上3つのスイッチをすべてオフにすればよい。

マスト!

028 入力
日付や時間の入力は予測変換を使おう!

キーボードで時間を入力する際に「○月○日○時」や「2017/02/09」など、数字とかなのキーボードを切り替えて入力するのは面倒だ。実は日付や時間は、数字だけの入力でも変換候補に時刻や日付を表示してくれる。たとえば「12時34

分」と入力したい場合は「1234」と数字だけの入力で変換候補に「12時34分」が現れる。日付も同様で「43」と数字を入力で変換候補に「4月3日」が現れる。ほかに「明日」や「昨日」でも変換候補に現れる。

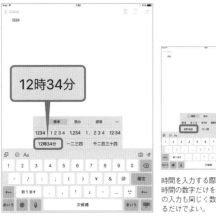

時間を入力する際はそのまま時間の数字だけを入力。日付の入力も同じく数字を入力するだけでよい。

029 バッテリー
バッテリー消費の激しいアプリを調べる

アプリをたくさん起動した状態にしていると、バッテリーの持ちがかなり悪くなっている。そのため、必要時以外はできるだけiPadに負担をかけるアプリは、オフにしておきたいものだ。「設定」画面から「バッテリー」画面を開き、「バッテリーの使用状

況」を確認しよう。この画面では、iPadにインストールされているアプリの各バッテリー使用率が一覧表示される。使用率を参考にして、バッテリー負担の高そうなアプリはアンインストールするか、Appスイッチャーからオフにするといいだろう。

スワイプしてオフにする

「設定」画面から「バッテリー」をタップ。負担の高いアプリが上から順番に表示される。

Appスイッチャーを開き、バッテリー負担の高いアプリを上にスワイプしてオフにしておこう。

---

iPadOS14

030 Spotlight
ユニバーサル検索をうまく使いこなそう

iPadにインストールされているアプリを素早く検索できるユニバーサル検索は、アプリだけでなくあらゆるファイルを検索対象にできる。アプリやメール、メッセージ内の文章に加えてメモ、カレンダー、リマインダーなど標準アプ

リ内に保存されているテキストデータを検索できるほかEvernoteやLINEのメッセージなど他社製アプリの多くに対応している。以前は背後のホーム画面が隠れていたが、ユニバーサル検索では背景を隠さず検索できるようになった。

1 アプリ内のデータを検索する

キーワードを入力する

ホーム画面の真ん中あたりを下へフリック、または右へフリックすると検索画面が表示される。キーワードを入力するとそのキーワードを含むiPad内にあるデータが表示される。

2 地名を入力してマップで表示する

「マップを検索」をタップ

地名を入力すると「マップを検索」というメニューが表示される。タップするとマップアプリがその場所を表示してくれる。

031 辞書
「調べる」の範囲を内蔵辞書に限定する

選択した文字列の意味を調べる方法は、以前より検索対象が拡大され、辞書だけでなく、関連のある映画、Wikipedia、iTunes内のコンテンツ、App Store内のコンテンツなども検

索結果に表示できる。便利ではあるが毎回インターネットに接続するため、検索結果の表示が遅くなってしまう欠点もある。辞書で意味だけ調べたい場合は「調べる」機能をオフにしよう。

「調べる」で追加された検索結果

標準設定では「調べる」を選択すると、辞書だけでなくこのように映画情報やWikipediaなどの情報も表示されてしまう。

「検索時の提案」をオフにする

以前のように辞書だけを表示するには、「設定」画面の「Siriと検索」から「検索時の提案」をオフにしよう。

032

Siri

知っておくと便利な Siriのすごいテクニック

Spotifyや ポッドキャストの 操作が可能に

iPadに直接話しかけて各種操作を行う音声操作アプリ「Siri」は、「今日の天気は?」と聞けば、即座に現在地点の天気予報を表示し、「おすすめの音楽をかけて」と話せば視聴履歴に基づいて自動でプレイリストを作成してくれる。車の運転時や一瞬が見逃せないスポーツ観戦時など、脇見せずにiPadを使いたいときには「ヘイ Siri」を有効にしよう。ホームボタンを押さなくても「ヘイ Siri」と声をかけると起動できるようになるので集中力を維持することが可能だ。

ここまでは多くの人が使いこなしている基本的なSiriの使い方だが、Siriはまだまだいろいろな利用ができる。iPadOSでは「Podcast」アプリのコントロールもできる。「ポッドキャストを再生して」と話しかけると、ポッドキャストで購読している番組から最新のエピソードを再生してくれる。続けて「次の番組」と話しかけるとほかのエピソードを再生してくれる。ほかに、「ブック」に登録しているオーディオブックやラジオアプリもSiriで操作できる。

音楽まわりの機能も強化されている。iPadOSではApple MusicなどApple製の音楽サービスだけでなくSpotifyなど他社音楽サービスもSiriでコントロールできる。たとえばSpotifyで音楽を再生中「次の曲を再生して」と話しかけると次の曲を再生してくれ非常に便利だ。最新iPadOS 14ではインターフェースがシンプル化した。これまでSiriを起動すると使っているアプリが隠れてしまったが、最新OSでは画面端に小さくポップアップ表示されるだけになった。

Siriの知られざる機能を使いこなそう

1 Siriを起動する

ホームボタン、もしくは電源ボタン(iPad Pro、最新Air)を長押ししてSiriを起動する。右下端にSiriのアイコンが出現したら、Siriに調べてほしいことを話しかけよう。

2 ポップアップで 結果が表示される

タップして再操作する

右へスワイプして隠す

Siriの結果もこれまでと異なり画面端にポップアップで表示される。また、Siriボタンをタップすると再操作、右へスワイプするとボタンを隠すことができる。

3 ラジオを再生する

「ラジオを再生して」と話しかける

「ラジオを再生して」と話しかけるとApple Musicに登録していれば「Beats 1」を再生してくれる。

4 Spotifyを操作する

「次の曲を再生」と話しかける

Spotifyを再生中にSiriで「次の曲を再生」と話しかけると、次の曲にスキップして再生してくれる。

5 流れている音楽の曲を調べる

「この曲は何?」と話しかける

カフェや店先で流れている曲が気になって調べたいときは、Siriを起動して「この曲は何」と話しかけると楽曲を教えてくれる。

6 楽曲の詳細を調べる

手順5で表示された楽曲名をタップするとApple Musicが開き、対象の楽曲ページを表示してくれる。

マスト！

033 iPadでの作業の続きを Macやi Phoneで行う

Handooff

移動中にiPadで書いた文章の続きをMacで書くときは「Handoff」機能を利用しよう。有効にするとiPadで実行中のアプリの状態をMacやほかのiOSデバイスに瞬時に反映できるようになる。メール、メモ、SafariなどApple純正アプリであれば大半は対応している。逆にMacやiPhoneで起動中のアプリ内容をHandoffを利用してiPadに反映させることも可能だ。

なお、Handoffを利用するには両方のデバイスのBluetoothを有効にし、同じApple IDでiCloudにログインしておく必要がある。

有効にする

「設定」の「一般」から「AirPlayとHandoff」を開き、「Handoff」のスイッチを有効にしよう。

アプリを起動して、ほかのデバイスに近づけよう。Macの場合Dock右から表示されるアイコンをクリックしよう。

034 キーボードショートカットで よりiPadを効率的に使う

入力

iPadは外付けキーボード用のショートカットが用意されている。使いこなせば作業は劇的に楽になる。普段、BluetoothキーボードでiPadでテキスト入力をしている人は覚えておこう。WindowsやMacなどのPCで利用するショートカットキーのほかに、「ホーム画面に戻る（command＋shift＋H）」「アプリを切り替える（command＋tab）」「Spotlight検索（command＋スペース）」「ショートカットメニュー表示（commandキー長押し）」などiPadならではのショートカットが利用できる。

利用しているアプリのショートカットキーを調べたいときは、キーボードを接続した状態で「command」キーを長押しする。そのアプリで利用できるショートカットキーが一覧表示される。

035 テザリング Instant Hotspotで テザリングを快適に使う

iPhoneで 素早くネットに繋いで iPadでインターネット

iOSの機能「Instant Hotspot」では、インターネット共有（テザリング）が簡単にできる。所有している機器が同じApple IDでiCloudにログインしていれば、Wi-Fiの接続先にテザリング接続可能な機器が表示されるので、そちらをタップするだけでテザリングが開始される。従来の「インターネット共有」よりもはるかに手軽に接続でき、事前の設定も不要と、とにかくお手軽。ただし、格安SIM業者の回線を利用しているiPhoneだと、テザリングができないことがあるので注意。

1 同じApple IDで サインイン

iPadとiPhoneで、同じApple IDでiCloudにサインインしておく。

2 iPhoneにWi-Fi接続

自分のiPhone名をタップ

接続が成功するとテザリングアイコンが表示される

「Wi-Fi」設定を開くとインターネット共有の接続先にiPhone名が表示されるので、そちらをタップすればiPhoneに接続でき、インターネットを利用できる。

マスト！
036 AirDrop
AirDropで連絡先や様々なデータを素早く交換する

AirDropは、iOSデバイス同士で、Wi-Fi/Bluetoothを経由して写真やテキストを直接送信できる機能。メールやメッセージを使わずに、手軽にデータのやりとりが行える便利な機能だ。「写真」アプリや「連絡先」などの

標準アプリだけでなくほとんどのアプリから呼び出すことができる。またiOSデバイスだけでなくMacともAirDropでやり取りが可能。パソコン上のファイル転送ケーブルなしで素早く行え便利だ。

共有ボタンをタップ

アプリの共有メニューから起動し、送信したいユーザーをタップして、データを送信しよう。

上級技！
037 キーボード
二本指タップでiPad上でマウスカーソルを動かす

iPadで範囲選択するには、タップして表示される範囲選択カーソルをドラッグする必要があるが、手間がかかる上、誤操作を起こしやすい。しかし、iOS 9以降に搭載されたカーソル機能を使えば、キーボード上で二本指を動かすだけでス

ムーズにカーソル移動ができるようになる。カーソル移動している間はキー操作は無効になるので誤入力する心配もない。範囲選択する場合は、画面をタップして表示されるメニューから「選択」を選択したあと、二本指でカーソルを移動させよう。

キーボード上で二本指を置いて動かす

キーボード上で二本指を置いて動かすと、トラックパッド状態（キーボード上に文字が表示されなくなる）に切り替わり、カーソルを自由に動かすことができる。Gboardなど、他社製キーボードでは使用できない。

マスト！
038 通信
Wi-FiやBluetoothを完全に終了するには？

コントロールセンターにあるWi-FiやBluetoothのボタンは、タップしてオフにしても完全にオフになっていない。繋がっていたデバイスとの接続を切断して「未接続」という状態になっているだけだ。そのため、

自動接続が可能なエリアに入ると知らない間に接続してしまう。Wi-FiやBluetoothを完全にオフにしたい場合は「設定」アプリの「Wi-Fi」や「Bluetooth」を開き、スイッチをオフにしよう。

オフにする

コントロールセンターを開き、Wi-FiとBluetoothのボタンをタップしてオフ状態にする。この状態はつながっていたデバイスとの接続を解除しただけだ。

完全にオフにするには「設定」アプリを開いて「Wi-Fi」や「Bluetooth」を開く。スイッチが有効状態になっているので、これをオフにしよう。

マスト！
039 マルチタスク
Appスイッチャーでアプリを終了させる

アプリを切り替えるには、ホーム画面に戻ったあと、ほかのアプリアイコンをタップしてもいいが、ホームボタンを2回連続して押すか、画面下から上へスワイプすると起動する「Appスイッチャー」画面から、一時停止中のアプリを切り替え

ることもできる。また、大量のアプリを起動したままにしておくと、iPadの動作が重くなったり不安定になる。その場合はAppスイッチャーでプレビューを上へスワイプすれば、そのアプリを完全に終了させることができる。

③タップしてアプリを切り替え、上へスワイプしてアプリを終了

①ホームボタンを2回押す

②スワイプしてアプリを探す

※16ページにも関連情報があります。

Spotlight

040 Spotlight検索の項目を変更する

iPad内のファイルの検索に利用するSpotlightは、初期設定だとキーワードに合致するありとあらゆるファイルを表示してしまうため、探しづらいこともある。検索対象を絞り込んで効率よく目的のファイルを探そう。「設定」画面の「Siriと検索」で、検索結果に表示したいファイルの種類のみに有効にしよう。なおこの画面ではホーム画面で上か下へフリックしたときに検索フォームとともに表示される「Siriの検索候補」のオン・オフも行える。

検索結果に表示しないアプリはオフ設定にする

iPadの「設定」→「Siriと検索」を開き、検索結果に表示したいファイルの種類のみ有効にしておこう。

上級技 Spotlight

041 iPadでちょっとした計算をするには

iPhoneと異なりiPadには電卓アプリが搭載されていないが、簡単な四則計算であればSpotlightを電卓代わりに利用することができる。このとき、キーボードでSpotlightに直接数式入力してもよいが、音声入力を使って計算式を話しかけるほうが素早く計算できるだろう。

なお、表示された計算結果をタップするとブラウザでGoogleの電卓画面が起動し、計算結果が表示される。計算結果からさらに複雑な計算をしたいときは、Googleの電卓画面を利用するのもよいだろう。

Spotlightに直接計算式を入力しよう。音声入力を使えば長い計算式でも素早く入力できる。

計算結果をタップするとブラウザが起動してGoogleの電卓画面を表示することもできる。計算結果をコピーしたり、より複雑な計算ができる。

ロック画面

042 ロック状態で音楽プレイヤーを操作する

現在のiPadは再生中の音楽情報が自動的にロック画面に表示され、音楽再生をコントロールすることが可能。しかし、音楽再生を一時停止してから数分経つと、ロック画面からコントロール画面が消えてしまう。そんなときはロック画面右上端から下へスワイプしよう。コントロール画面で再生すると再び表示できるようになる。また、音楽再生中はロック画面にその曲のジャケット画像が表示され早送りや巻き戻しなどそれなりの操作が可能。

ロック画面で音楽再生中のコントロールが行える。アプリが対応していればアルバム画像の表示もしてくれる

右上端から下へスワイプ

ロック画面の右上端から下へスワイプする。音楽再生をコントロールできる。再生中はロック画面上で再生操作が可能に。

キーボード

043 画面最下部にキーボードを固定したままフリック入力を行う

iPadのキーボードでフリックを入力を行うには、キーボードを分割するかフローティングにすればよいが（13ページ参照）、下の位置で固定して使いたい場合もあるだろう。その方法はQWERTYキーボードを表示させた状態で、キーボードの中央から左右の手の指を1本ずつ使って左右に広げてみよう。すると、キーボードを最下部に固定したまま分割できる。キーボードのアイコンのボタンをタップして「結合」を選べば元に戻すことができる。なお、iPad Proでは利用できない場合もある。

 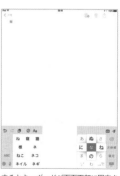

指を2本使って左右に広げる

キーボードをQWERTYキーにした状態にする。キーボードの中央から二本指で左右に広げるようにスライドさせよう。

QWERTYキーボードにする

するとキーボードが画面下部に固定されたまま分割される。あとは日本語キー入力に変更すればフリック入力が可能だ。

ホーム画面

044 ウェブのブックマークを ホーム画面に登録する

よくアクセスするWebサイトは、Safariのブックマークに登録する方法よりも、ショートカットをホーム画面に登録する方がより素早く目的のサイトにアクセスできる。Webサイトを開いたら共有アイコンをタップして「ホーム画面に追加」

をタップ。ショートカットに名前を付けて保存すれば、ホーム画面にショートカットを作成できる。追加したショートカットはアプリアイコンと同じくフォルダにまとめたり、好きな位置に移動させるほか、名前を変更することもできる。

Safariでページを開き、共有アイコンをタップ。「ホーム画面に追加」をタップして名称を入力。「追加」でホーム画面にアイコンが追加される。

ホーム画面

045 ホーム画面にフォルダを 作ってアプリを管理する

アイコンが増えてくると、いざアプリを利用したい時に目的のアプリが探しづらくなってしまう。そこで、ホーム画面にフォルダを作成し、ジャンル別や目的別といったようにアプリを整理しよう。フォルダを作成するには、フォルダにまとめたいア

イコンを長押しタップ。アイコンが振動した状態で、このアイコンをフォルダにまとめたいアイコンにドラッグして重ねればOK。iOS11以降はアイコンを複数選択してまとめてフォルダへ移動する方法が追加されている。便利なので知っておこう。

少し動かして「×」マークを消す

指を離さない状態でほかのアプリアイコンをタップする

アイコンを長押ししてふるえた状態にして、少し動かし、アイコンの「×」マークを消した状態にする。

アイコンから指を離さないまま、一緒に移動させたい別のアプリアイコンをタップする。すると選択したアイコンが自動で重なる。

共有メニュー

046 共有メニューのアプリアイコンを 並べ替えて使いやすくする

アプリで開いているデータや情報を他のアプリへ送る時に開く「共有」メニュー。各アプリの共有ボタンをタップしてメニューを開くと、送信可能なアプリのアイコンや利用できる機能が並んでいるが、よく使うア

イコンや機能をアクセスしやすい位置にカスタマイズすることで、作業をより効率的に進めることができる。並び替えるには「その他」メニューを開こう。「よく使う項目」にアプリを追加すれば並び替えられる。

ドラッグして並びかえる

共有メニューを開き、並んでいるアプリアイコンの一番右にある「その他」をタップする。

「よく使う項目」に並び替えたいアプリを追加したあと、ドラッグして並びかえよう。

上級技 カメラ

047 カメラアプリの連写を 無効化して撮影する

現在のiPadのカメラでシャッターボタンを長押しすると、連写機能が働いてしまう。現在、手ブレ防止機能はなくなってしまったが、昔のように指を離したときにシャッターを切りたい場合は「AssistiveTouch」で設定しよう。設定画面で「アクセシビリティ」

→「タッチ」→「AssistiveTouch」で「AssistiveTouch」を有効にし、「シングルタップ」設定で「タップ」を指定する。あとはカメラ撮影時にAssistiveTouchを起動し、丸いボタンをシャッターに重ね合わせよう。

AssistiveTouchのボタンを重ねる

AssistiveTouchの設定画面の「シングルタップ」設定で「タップ」にチェックを入れる。

AssistiveTouchを起動してシャッターボタンにボタンを重ねあわせると連射機能はなくなる。

※スクリーンショットでAssistiveTouchが取れなくなりました

048

ボイスメモ

iPadでも使える
ボイスメモを使おう

トリミングや再録音
など高度な編集機能も
備えた録音アプリ

iPadには音声録音アプリ「ボイスメモ」が標準搭載されている。iPadに話しかければ、その内容をm4a形式の音声ファイルで保存することができる。録音した音声ファイルは、iCloudを通じてiPhoneやMacのボイスメモと同期することができるほか、共有メニューから外部アプリへ保存することもできる。

録音した内容から範囲指定した場所を切り抜いたり、削除するなどシンプルで使いやすい編集機能や、録音したファイルに上書き録音する「再録音」機能なども搭載しており、多機能で動作が安定している。最新版では録音機能が強化され、録音時にバックグラウンドのノイズやエコーを自動的に軽減してくれる。

1 録音ボタンをタップして録音する

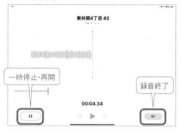

一時停止・再開

録音終了

00:04.34

ボイスメモを起動後、赤いボタンをタップすると録音が始まる。一時停止する場合は左下のボタンをタップ。終了する場合は右下のボタンをタップしよう。

2 録音したファイルに上書き録音する

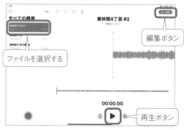

東林間4丁目 #2

編集ボタン

ファイルを選択する

00:00.00

再生ボタン

録音したファイルを再生するには左からファイルを選択して再生ボタンをタップする。編集する場合は右上の編集ボタンをタップする。

3 録音したファイルを編集する

東林間4丁目 #2

編集したい箇所を範囲指定する

00:08.05

実行ボタンをタップする

トリミング、もしくは削除したい部分を黄色い枠を調節して範囲指定する。範囲指定したら下にある各実行ボタンをタップしよう。

049

基本操作

4本指のスワイプで
アプリを切り替える

設定の「ホーム画面とDock」→「マルチタスク」で「ジェスチャ」をオンに設定すれば、通常ホームボタンを2回押して表示するAppスイッチャーやコントロールセンターを、4本指で上へスワイプすることで表示させることができる。

また、アプリ起動中に4本指で左右にスワイプすると、アプリの切り替えが可能（タスク切り替えに表示される順番で切り替えられる）。複数のアプリを行ったり来たりするときに便利だ。この操作は覚えておくと非常に便利なので、是非活用しよう。

上へスワイプ

4本指で上へスワイプするとAppスイッチャーやコントロールセンターを表示。

左右スワイプ

4本指で左右にスワイプすると、アプリの切り換え（Appスイッチャーの順番）が行える。

050

SIMカード

データ専用の格安SIMを
利用する

セルラーモデルのiPadを利用しているユーザーがネットに接続する場合、Wi-Fiや大手キャリアが提供するモバイルデータのほかに格安SIMを利用した接続方法がある。格安SIMの接続業者はたくさんあ

るが、おおよそ月額1,000円〜2,000円で3〜5GB程度のモバイルデータを利用できる。それほどモバイルデータを使わないなら格安SIMに乗り換えるのがおすすめだ。

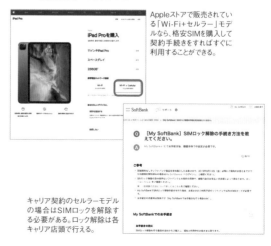

Appleストアで販売されている「Wi-Fi+セルラー」モデルなら、格安SIMを購入して契約手続きをすればすぐに利用することができる。

キャリア契約のセルラーモデルの場合はSIMロックを解除する必要がある。ロック解除は各キャリア店頭で行える。

051

Magic Keyboardは
こんな人に向いている

iPadを
ノートパソコンの
ように使いたい

Appleは2020年春に新しいiPad Pro専用のキーボード「Magic Keyboard」を発売した。MacBookやMacに付属しているキーボードライクなのが特徴で、これまでPCでキーボードを使っていた人なら快適にタイピングできるのが最大のメリットだ。また、トラックパッドでマウスカーソルを操作できる点も魅力。

ただし、Smart Keyboardシリーズと比べると300gも重くずっしりしており、着脱もしづらいため、従来のタブレットのようにも使いたいという人には向いていない。iPadをよりノートPC化させたいという人におすすめだ。

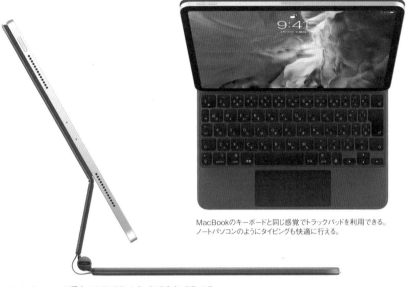

MacBookのキーボードと同じ感覚でトラックパッドを利用できる。ノートパソコンのようにタイピングも快適に行える。

Magic Keyboardは現在、11インチiPad Proと12.9インチiPad Pro（第3世代〜）、iPad Air（第4世代）に対応している。

052

Smart Keyboard Folioは
こんな人に向いている

タブレットと手書き
ノートをメインに
使いたい

以前からあるSmart Keyboard Folioのメリットは、タブレット的な良さを最優先にして設計されていることだ。着脱しやすく非常に軽いため携帯性がよく、メモを取りたくなったときにサクッと片手で手書きのメモを取ることができる。手書きノートアプリをメインに使っている人であれば、こちらを選択するのが賢明だ。

Magic Keyboardのようなトラックパッドは搭載されておらず、ノートパソコンのような快適なタイピング性は正直期待できないが、出先でちょっとテキスト入力をする程度であれば問題はない。

Smart Keyboard Folioは、11インチiPad Proと12.9インチiPad Pro（第3世代〜）、iPad Air（第4世代）に対応している。トラックパッド領域は存在しない。また、旧iPad Pro、無印iPad（第7世代以降）、Air（第3世代）に対応しているSmart KeyboardもこのFolioとほぼ同じイメージと考えていいだろう。

Magic Keyboardと比べて300gも軽く、折りたたんで手書きメモを取りやすいのがメリット。手書きノートアプリ派におすすめ。

053

コントロール
センター

さまざまな操作をキメ細かく調整
できるコントロールセンター

表示方法が変更され
新しい機能が追加された
コントロールセンター

「コントロールセンター」は、各アプリを起動しなくても写真撮影、ネットワークの切り替え、音楽再生のコントロールなど、よく使う機能に素早くアクセスできる便利な機能だ。ホーム画面だけでなく、ロック画面やアプリの起動中でも呼び出せるのがメリットだ。初代 iPad から現在にいたるまでずっと搭載されており、日々アップデートされている。

2018 年以降大きく変更されたのは表示方法だ。前 OS では App スイッチャー画面に統合されていたが、現在はコントロールセンターが再び独立表示され、画面の右上隅から下にスワイプすることで表示させることができる。以前のように画面下から上へスワイプすると（iOS 12 以降では）「ホーム画面に戻る」操作になってしまうので注意しよう。

コントロールセンターに表示させる機能はカスタマイズできる。「設定」アプリの「コントロールセンター」でよく使いそうなアプリを追加し、逆に使わないアプリは削除しよう。並び順も自由にカスタマイズできる。また、iPadOS では新たにアプリ使用中にコントロールセンターを表示するかしないかの設定ができるようになり、ほかに Apple TV や HomePod などの HomeKit に対応したアクセサリをリモートコントロールできる機能も追加されている。iPad を効率よく使うならコントロールセンターをじっくりカスタマイズしよう。また、コントロールセンター上にあるボタンを長押しすると、オプションメニューがポップアップで開くようになっている。機能によってはより便利な機能が利用できるようになるので知っておくといいだろう。

コントロールセンターの使い方

1 コントロールセンターを開く

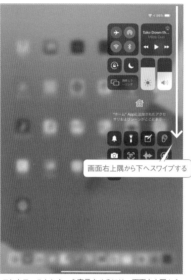

画面右上隅から下へスワイプする

コントロールセンターを表示させるには、画面右上隅から下へスワイプする。ホーム画面だけでなく、ロック画面やアプリ起動中でも表示させることができる。

2 コントロールセンターを
カスタマイズする

「設定」の「コントロールセンター」で表示する機能をカスタマイズできる。「＋」をタップして追加、「－」をタップして削除しよう。

3 項目の並び順を変更する

メニューボタンを長押ししてドラッグする

項目右横にあるメニューボタンを長押ししてドラッグすると、コントロールセンターの並び方をカスタマイズすることができる。

4 アプリ起動中はオフにする
ことができるようになった

オフにする

ジェスチャによる誤動作でコントロールセンターが表示されてしまうのを防ぎたい場合は、「App 使用中のアクセス」をオフにしよう。ホーム画面からのみコントロールセンターを引き出せる。

SECTION 02

メッセージ・メール

年々機能が増え便利になっているメッセージの
活用法はもちろん、標準メールをより使いやすくする
テクニックやGmailの便利な使い方、
便利技などを解説しよう。

上級技

054

メール

標準メールアプリをさらに
快適に使う方法

Split Viewを使って
メールアプリを
2つ起動する

標準で搭載されている「メール」アプリは、ほかのメールアプリに比べてシンプルで機能数は少ないものの、iPadで利用するのに最適な設計にされており、特にSplit Viewと併用すれば快適なメール作業が行える。Split Viewで「メール」アプリを2つ同時に起動することができ、別のメールを参照しながらメールを書いたり、あるアカウント内にあるメールをドラッグ＆ドロップ操作で別に登録しているアカウントのメールフォルダに移動することが可能だ。なお、Split Viewにするとサイドバーとリスト画面を同時に表示できなくなるが、比率を7:3に変更することで両方の画面を表示することができる。

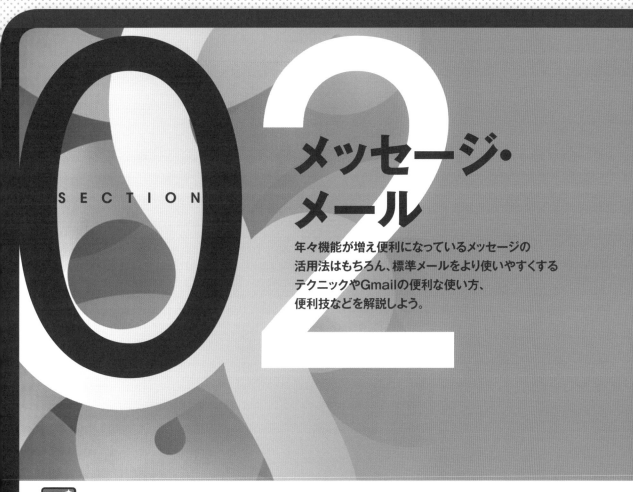

1 Dockに登録して
Split Viewで起動する

あらかじめ「メール」アプリをDockに登録しておき、1つ目の「メール」アプリを起動してからSplit Viewで2つ目の「メール」アプリを起動する。

①Dockに登録
②Split Viewで開く

2 ドラッグ＆ドロップで
メールを整理する

複数のメールアカウントを登録していて、アカウント間でメールの移動をする場合、Split Viewを使うと便利。ドラッグ＆ドロップで特定のメールフォルダにスムーズに移動できる。

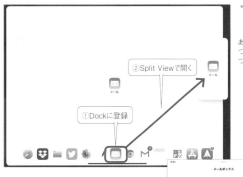
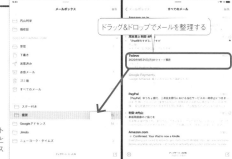

ドラッグ＆ドロップでメールを整理する

メール

055 メールをフィルタリングして 目的のメールを素早く見つける

iPad 標準の「メール」アプリに搭載されているフィルタ機能を使用すれば、受信トレイのメールから「未読」や「添付ファイル付き」といった条件で、簡単にメールを絞り込むことができる。フィルタを使うには、受信トレイを開き、メッセージ一覧の左下にあるアイコンをタッ

プする。「適用中のフィルタ」をタップして、絞り込み条件を選択しよう。フィルタの種類は固定されており、ユーザーがカスタマイズすることはできないが、未読メールを探して延々とスワイプするといった手間が省けるので、覚えておくと便利な機能だ。

受信トレイを開いてメッセージ一覧画面を開いたら、左下にあるアイコンをタップし、「適用中のフィルタ」をタップする。

② タップしてフィルタを適用する

① フィルタにチェックを入れる

使用できるフィルタの一覧が出るので、適用したいフィルタをタップしてチェックマークを入れ、「完了」をタップすれば、メールがフィルタリングされる。

メール

056 メールの送信元を 設定する

「メール」アプリで複数のメールアカウントを使い分ける場合、注意したいのがメールを送信する際の送信元アドレス。標準設定ではメールを送信する際に利用される送信元アドレスは、設定の「メール」にある「デフォルトアカウント」にチェックが入っているメールアドレスにな

る。ただし「メール」アプリのサイドメニューに表示されているアカウント名をタップしてからメールを作成した場合は、そのアカウントが送信元となる。

また、メール作成時に「差出人」をタップすれば、送信元アドレスを変更することができる。

タップしてアカウントを指定する

「メール」アプリの送信アドレスは、設定の「メール」を開いて「デフォルトアカウント」から設定したアカウントでメールが送信される。

差出人をタップしてアドレスを選択する

メール作成画面から送信元を変更することもできる。「差出人」をタップして、送信元に利用するメールアドレスを選択しよう。

---

057 標準メール メールの作成画面で 写真や動画を添付する

メール作成中でも 写真や動画を 簡単に添付できる

標準の「メール」アプリでメールに写真や動画を添付するには2通りの方法がある。1つは、写真アプリで写真や動画を選び、共有アイコンから「メールで送信」を選ぶ方法。もう1つはメール作成画面から本文に写真や動画を添付する方法だ。

手順は簡単で、本文部分の、写真を挿入したい部分をタップしてポップアップを表示させ、「写真またはビデオを挿入」をタップすると、カメラロールもしくはフォトストリームから写真やビデオを選択してメールに添付できる。

1 ポップアップから メディアを添付

本文をタップして、メニューから「写真またはビデオを挿入」をタップ

メール作成中に写真やビデオを添付するには、メール作成画面の本文部分をタップしてポップアップを表示させ、「写真またはビデオを挿入」をタップする。

2 写真やビデオが 添付される

添付写真のサイズを指定する

写真が本文に添付される

カメラロールもしくはフォトストリームから添付したい写真を選ぶと、メールに写真やビデオが添付される。複数の写真を添付することもできる。

058

メール

標準メールアプリでスレッドの最新メッセージを最上部に表示させる方法

最新メッセージを上部に表示させてわかりやすくする

標準「メール」アプリには、同じ相手とのメッセージのやり取りを「スレッド」にまとめて表示してくれる機能が搭載されているが、デフォルトでは、スレッド内のメッセージが上から下へ昇順で表示される。メールボックスのメッセージ一覧表示では降順に表示されるため、少し違和感を感じるかもしれない。そこで、設定の「メール」を開き、「最新メッセージを一番上へ」をオンに設定しよう。スレッド内のメッセージが新しいものから降順に表示されるようになる。もちろん元に戻すにはこの設定をオフにすればOKだ。

1 メールアプリの設定を変更する

設定を開き「メール」をタップ。「最新メッセージを一番上へ」をオンにする。なおスレッド表示を有効にするには「スレッドにまとめる」をオンにする。

2 最新メッセージが一番上に表示される

スレッド内のメッセージが、最新のものから降順に表示されるようになる。メールボックスの表示も降順なので、分かりやすい。

059

メール

メールで使える文字修飾をマスターする

通常のEメール（プロバイダやGmailなど）でも、プレーンなテキストだけでなく、簡単な文字修飾が利用できる。修飾したい文字を選択したら、ポップアップの「BIU」（ボールド/イタリック/アンダーライン）アイコンで3種類の文字修飾を適用できる。また「引用のマーク」で選択した文字の字下げ、字上げを設定可能。ここで指定した文字修飾は、パソコン宛のメールでも有効。読み飛ばして欲しくない重要なポイントを装飾しよう。

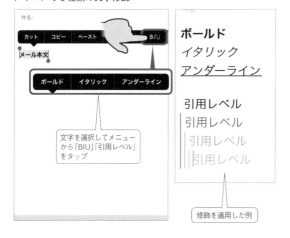

ボールド
イタリック
<u>アンダーライン</u>

引用レベル
引用レベル
引用レベル
引用レベル

文字を選択してメニューから「BIU」「引用レベル」をタップ

修飾を適用した例

060

メール

受信トレイのメールをまとめて開封済みにする

ホーム画面の「メール」アイコンに未読メール数がずっと残っていると、ちょっと気になってしまう。だが大量に貯まった未読メールを開封していくのは面倒な作業。そこで、標準メールアプリで未読のメールをまとめて開封するテクニックを紹介しよう。未読メールがあるメールボックスを開いたら「編集」をタップ。上から下へドラッグして範囲選択して、左下の「マーク」をタップ。メニューから「開封済みにする」を選択しよう。

受信トレイを開き、右上にある「編集」をタップする。左に表示されるチェックボタンを上から下へドラッグする。

左下の「マーク」をタップすると表示されるメニューから「開封済みにする」をタップ。すべてのメールが開封済になる。

061

Gmail

GmailをiPadで送受信しよう

GmailをiPadの「メール」アプリで送受信する

iPadでメールを利用する場合、是非活用したいのがGoogleのメールサービス「Gmail」。単なるフリーメールとしてだけでなく、強力な迷惑メール対策や条件を指定してメールを振り分けるフィルタ機能など、便利な機能が利用できる。

設定のメールからGmailアカウントを登録すれば、標準のメールアプリでGmailの送受信が行え、Googleカレンダーとの同期も行われる。事前に、Safariやパソコンから Gmailのアカウントを取得しておき、メールアドレスとメールパスワードを用意しておこう。Gmailアカウントを追加すると事前にGmail上で作成した「ラベル」がそのまま「メール」アプリにも反映される（表記は「メールボックス」となる。Gmailで受信したメールをiCloudのメールボックスに移動するなどサービス間で自由にデータの移動が行える。

また、Gmailをメインで利用するなら、Gmail専用アプリがオススメ。メールはプッシュ受信されるし、ラベル設定や迷惑メール設定などの機能がiPadから利用できる。

App

iPadの「メール」でGmailを送受信する

1 「メール」アプリでGmailアカウントを新規で追加する

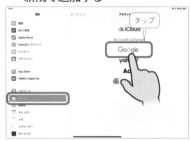

設定の「メール」→「アカウント」から「アカウントを追加」をタップ。「Google」をタップして、Gmailのメールアドレスを入力する。

2 パスワードを入力し同期する内容を設定

次の画面でパスワードを入力し、iPadと同期する内容を選択する。これらの設定は、メール設定に登録されたアカウントをタップしていつでも変更可能。

Gmailアプリでほかのメールアカウントを使う

1 「Gmail」アプリにほかのメールサービスを登録する

Gmailアプリは Gmail 以外のアカウントを扱うこともできる。このアプリの使い勝手が気に入っている人は試してみよう。右上にあるアカウントアイコンをタップして「別のアカウントを追加」をタップする。

2 メールサービスを選択してアカウントを追加する

アカウントの追加画面が表示される。追加するメールサービスを選択して、アカウントとログインパスワードを入力しよう。

062

メール

添付写真やPDFにマークアップして メールを送信する

インラインスケッチと 同じツールメニューで 手書き入力ができる

iPadの「メール」アプリでは、添付した写真やPDFにマークアップを使って指やApple Pencilで簡単に手書きの注釈

を入力することができる。PDFに修正指示を入れたり、地図写真に手書きで説明を入れて送信するときなどに役立つだろう。手書き入力したファイルは共有メニューから外部に保存できる。

利用できるツールはインラインスケッ

チと同じく、ペン、マーカー、鉛筆、投げ縄ツールなど。また、iPadOSのアップデートにあわせてペンの太さやカラー、さらに定規ツールをカスタマイズできるほか、定規ツールを使って直線を引いたり、角度を測ることができるようになった。

1 メニューからマークアップを 選択する

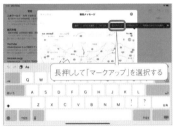

添付したファイルにマークアップをするには、ファイルを長押しして表示されるメニューから「マークアップ」を選択しよう。

2 マークアップで 注釈を入れる

マークアップが起動する。下に表示されるツールメニューからペンやカラーを選択して、手書きでファイルに注釈を入力しよう。

3 共有メニューから 外部に保存する

マークアップで入力した注釈はメールに添付するだけでなく、外部に保存することもできる。共有メニューをタップして保存先を選択しよう。

063

Gmail

高優先度のメールのみ 通知させよう

「Gmail」アプリでは重要なメールが届いたときのみ通知する機能が搭載されている。機能を有効にするにはGmailアプリの設定画面の「通知」設定で「高優先度のみ」にチェックを入れよう。AIの判断で返信が必要と思われるメールや、期日

が間近に迫っているメールなど、自動的に重要とマークされたメールを通知してくれる。

なお、通知設定画面では逆に、新着メールであればすべて通知するようにしたり、通知をなしにすることもできる。

Gmailアプリの受信トレイの一番下にある「設定」をタップする。通知設定を変更するアカウントを選択する。

設定画面の中から「通知」を選択する。「高優先度のみ」にチェックを入れると、重要なメールと判断したメールのみ通知してくれるようになる。

064

iPadOS14 Gmail

GmailをSplit Viewで 快適に使おう

GmailアプリはiPadのSplit ViewやSlide Overなどの iPadのマルチタスク機能に対応している。メール内の記載されたスケジュールを確認しながら、カレンダーアプリに登録し

たり、写真をドラッグ＆ドロップでメール作成画面に添付することが可能だ。なお、マルチタスクを活用するために事前にDockにGmailアプリを登録しておこう。

写真をそのままドラッグ＆ドロップしてメールに貼り付けられる

065 Gmail Gmailをさらに使いこなす 活用テクニック①

プロバイダ宛の メールも Gmailで一括管理

Gmail には、プロバイダや会社のメール（POP3）を受信して取り込む機能が搭載されている。プロバイダのメールサーバにメッセージを残すことも可能だ。もちろん Gmail のラベル機能やフィルタ機能も利用でき、プロバイダ宛のメールにラベルを付けてまとめてチェックするという使い方もできる。

Gmail でプロバイダメールを受信する大きなメリットは、Gmail の高機能な迷惑メールフィルタを利用できる点。手動でフィルタを鍛えることも可能なので、確実に迷惑メールを遮断できる。

「メールアカウントを追加する」をクリック

画面の指示に従って、プロバイダメールのアドレスや受信サーバの設定などを進める

1 Gmailの設定を開く

パソコンから Gmail へログインしてメール設定を開き、「アカウントとインポート」をクリック。「他のアカウントで〜」にある「メールアカウントを追加する」をクリックする。

Gmail
https://mail.google.com/

2 メールの受信設定を入力

Gmail で受信したいメールアドレスを入力して「次のステップ」をクリック。以降、画面の指示に従ってメールサーバやメールのアクセス設定を完了し、メールで送信される確認コードを入力すれば、プロバイダメールを Gmail で受信できる。

066 Gmail Gmailをさらに使いこなす 活用テクニック②

フィルタ機能で ラベル付けなど メールに処理を実行

Gmail の便利な機能の一つ「フィルタ」は、設定した条件に合致する受信メールに、様々な処理を自動的に行ってくれる便利な機能。中でも、メールにラベルを付ける機能は、受信したメールを自動的に整理してくれるので、いちいち手動でラベルを付けて整理する手間が省ける。他にも転送やアーカイブなど、使いこなすことでメールを様々な用途に応用することができる機能だ。iPad ですぐに受信する必要の無いメールは、ラベルを付けてアーカイブしておくと余計な受信を回避できる。

メールを開いてクリック

1 フィルタしたい メールを開く

パソコンで Web 版の Gmail へアクセスしたら、フィルタを使って処理したいメールを開き「メニューボタン」をクリック。メニューから「メールの自動振り分け設定」をクリックして開く。

Gmail
https://mail.google.com/

2 フィルタ条件を指定する

条件指定画面が表示されるので確認＆条件を追加し、「この検索条件でフィルタを作成」をクリック。フィルタの処理内容（ラベル付け、アーカイブなど）を設定して、「フィルタを作成」をクリックすれば完了。一般的な用途としては、特定のラベルをつけ（メルマガ、ショッピングなど）、受信トレイをスキップさせ、受信トレイを見やすくするのが目的だ。

チェックを入れて「フィルタ作成」をクリック

067

メール

Gmailを使うなら超便利メールアプリ「Spark」でメールを効率的に処理しよう

スワイプ操作だけでメールを簡単に処理できる

毎日大量にメールを受信する人は、重要なメールとそうでないメール、既読メール、未読メールといったメールの振り分け作業が非常に大変。そんな人におすすめのメールアプリが「Spark」だ。

Sparkは非常に多機能なことで人気の高いiOS用メールアプリ。Gmail、Yahoo!メール、iCloudメール、Outlookメール、Exchangeなど主要メールサービスのアカウントを複数登録して管理することができる。特に優れているのがSpark独自の「スマート受信トレイ」機能だ。届いたメールを自動的に重要度別に判別して、「重要」「サービス通知」「メールマガジン」といったジャンルに分類してくれる。受信トレイを開いたときに届いたメールが重要なものなのか、ただの宣伝なのか、一目で分かる仕組みになっている。Gmailと同じく学習機能を搭載しており、よく開いたり返信するメールは重要なメールと認識するようになり、受信したときにきちんと通知してくれる。逆にプロモーションなど開かれないメールは通知しないようにしてくれる。

届いたメールを処理する際のスワイプ操作も独特だ。「左から浅く」「左から深く」「右から浅く」「右から深く」の4つのスワイプ操作が用意されており、各操作に対して自由に機能を割り当てることができる。自分がよく利用するメール操作を割り当てて、より効率よくメール処理をしよう。

App

Spark
作者／Readdle Inc.
価格／無料　カテゴリ／仕事効率化

Sparkで効率よくメールを処理する

1 メールサービスのアカウントを登録する

サービスを選択する

Spark のサイドメニュー下にある設定ボタンをタップする。「メールアカウント」から「アカウントを追加」でアカウントを追加できる。

2 「スマート」設定を有効にしよう

「スマート」にチェック

メールの通知設定をする。特に重要な人からのメールのみ通知するようにする場合は「スマート」にチェックを入れる。「完了」をタップ。

3 メールを「既読」へ移動する

左から右へ浅くスワイプ

左から右へ浅くスワイプすると「既読」が表示される。タップすると「既読」画面にメールが移動する。

4 メールを「アーカイブ」へ移動する

左から右へ深くスワイプ

左から右へ深くスワイプすると「アーカイブ」が表示される。タップすると「アーカイブ」にメールが移動する。

5 設定画面から動作をカスタマイズする

「スワイプ」を選択する

スワイプ操作を変更するには左下の設定ボタンをタップして「カスタマイズ」から「スワイプ」を選択。カスタマイズする項目を選択しよう。

6 変更する操作にチェックを入れる

チェックを入れる

利用したい操作にチェックを入れよう。これでスワイプしたときに表示されるメニューが変更される。

068

メッセージ

「メッセージ」アプリを使って iMessageでメッセージのやりとりをしよう

Appleユーザー同士で手軽なチャットが楽しめる無料サービス

iPadの標準アプリ「メッセージ」を使えば、アップルのチャットサービス「iMessage」を利用して、Apple IDを所有しているiPad、iPhone、iPod touchユーザーや、Macユーザーと無料でチャットが楽しめる。テキストだけでなく、写真やステッカー、手書きのイラストやメモをやり取りできるほか、メッセージの開封や、相手が返事を入力中かを確認できるなど、特徴的な機能を備えている。FaceTimeやメールとの連携も可能。

まずは設定の「メッセージ」を開き、iMessage機能を有効にし、送受信に使用するメールアドレスを指定しよう。標準ではApple IDに利用しているメールアドレスがiMessageのアドレスとなるが、Apple IDに利用しているメールアドレスのほか、任意のメールアドレスを利用することもできる。メールアドレスの追加は「設定」→「アカウント」→「名前、電話番号、メール」から行える。

受信したメッセージは、「メッセージ」アプリが起動していなくても通知され、通知から直接返信することもできるので、手軽な連絡手段として活用できる。

迷惑メッセージの受信を止めたい時は、メッセージの設定で、そのユーザーを拒否設定するか、iMessageをオフにすれば以後メッセージは受信されなくなる。

メッセージアプリを使ったiMessageの基本的な使い方

1 iMessageをオンにして受信用のアドレスを確認

設定を開き、「メッセージ」をタップ。「iMessage」がオンにして、iMessageに利用するメールアドレスを確認する。

2 着信用メールアドレスを追加する

iMessage用のアドレスを追加するには、「設定」画面から「自分のアカウント」をタップ。「名前、電話番号、メール」で「連絡先」の「編集」からメールアドレスを追加する。

3 メッセージや写真を投稿してやりとりする

メッセージ入力欄にテキストを入力して、Enterキーをタップするか「↑」ボタンをタップでメッセージを投稿。写真や手書きイラスト、ステッカーなども送信できる。

4 FaceTimeで音声やビデオ通話も行える

チャット画面で、ユーザー名をタップして「i」ボタンをタップすると、参加者に自分の位置情報を送ったり、FaceTime通話の開始、などのコミュニケーションができる。

069

メッセージ

メッセージアプリの便利な機能を上手く使いこなす

iPad内にある各種アプリデータを送信できるようになった

「メッセージ」アプリは従来はテキストや写真しか送信できなかったが、アップデートを重ね今では、手書きメッセージや、カメラからの直接投稿、「LINE」のスタンプ機能のような「ステッカー」も送信できるようになり、大幅に表現力が高まった。手書きメッセージでは、描く過程を含め相手に送ることができる。同じ「ありがとう」のメッセージでも、テキストではなく、手書きで送れば、より思いのこもったメッセージが伝えられる。

投稿するメッセージに、さまざまなエフェクトを加えることもできる。メッセージの吹き出しが振動したり、膨らんだりするアニメーション効果や、チャットの背景にも視覚効果を加えられるので、テキストだけでは伝えきれない感情が表現できる。

また、相手のメッセージをロングタップして使える「TapBack」機能を使えば、メッセージを入力して返信する余裕がないときでも、相手にレスポンスを伝えることができる。忙しいユーザーに嬉しい新機能だ。

また、iPad Pro11インチまたはiPad Pro12.9インチ（第三世代以降）ならミー文字機能を利用することができる。メニューからミー文字のアイコンをタップし、利用するミー文字を選択したら、撮影ボタンをタップし顔を動かし、メッセージを声で話そう。30秒のオリジナルミー文字を作成できる。

メッセージの多彩な機能を使いこなそう！

1 メッセージの種類はとっても多彩！

アプリを選択して送信する

メッセージ入力フォーム左の「A」をタップすると、iPadにインストールしているアプリアイコンが表示される。選択して各アプリ内のコンテンツを送信できる。

2 手書きのメッセージを送信する

カメラ／ハート／Appボタン

アプリメニューからハートビートを選択すれば手書きのメッセージを送信することが可能だ。黒いパッドに手書きしよう。

3 メッセージに様々なエフェクトを加えられる

ジャンルを選択

エフェクトを選択

「↑」をロングタップ

メッセージ欄の右にある「↑」をロングタップすると、メッセージに様々な効果をつけられる。「吹き出し」はメッセージそのものの動き、「スクリーン」は画面全体の効果。

4 ミー文字を送信する

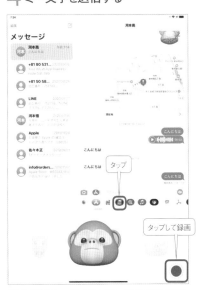

タップ

タップして録画

新しめの機種のユーザーであればミー文字を作成して送信できる。ミー文字の種類を選んで録画ボタンをタップして顔を動かし、話しかけよう。

070

メッセージ

「ステッカー」アプリを使って
メッセージをより楽しく活用しよう

新しいステッカーを購入して、どんどん貼り付けちゃおう!

「メッセージ」アプリのステッカー機能を使えば、イラストやアニメーションするアイコンをチャットに貼り付けて楽しくコミュニケーションできる。「LINE」のスタンプに近い機能とイメージして貰えたらいいだろう。ステッカーは、複数のイラストがセットになった「ステッカーアプリ」として、Store から購入して追加できるので、好みのステッカーを集めて、チャットを楽しもう。追加したステッカーは、写真と同様にメッセージに添えて投稿できるほか、ロングタップ＆ドラッグして、好きな場所へ貼り付けることもできる。

1 ステッカーアプリを購入する

メッセージ入力欄にある「A」ボタンをタップして App Store ボタンをタップ。App Store が起動するのでステッカーを購入してインストールする。

2 ステッカーを利用する

インストールすると下のアプリメニューに購入したステッカーが追加される。選択すればステッカーを利用できる。

マスト!

071

iCloudメール

無料で使える
iCloudメールを利用しよう

iCloud メールは、Apple ID を持っているユーザーであれば、誰でも無料で利用できるメールサービス。最大 5GB の容量が利用でき、「メール」アプリで受信したときにすぐに通知してくれるプッシュ通知に対応しているのが大きなメリットだ。迷惑メールに対応していたり、数

百 MB あるファイルでもクラウド経由で送信することができる。

注意点としてストレージ容量はほかの iCloud サービスと共用することになる。容量が足りなくなった場合は、不要な添付メールは削除したり、有料プランに変更して容量を追加しよう。

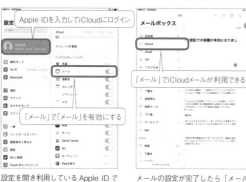

設定を開き利用している Apple ID で iCloud にログインする。続いて「メール」で、「メール」の同期をオンにする。初回時にアドレスなどを設定する。

メールの設定が完了したら「メール」アプリを起動する。iCloud メールが利用できるようになる。なお、iCloud の容量は iCloud Drive や iCloud 写真と共同で使うことになる。

072

iCloudメール

iCloudメールのエイリアスを
作成して使い分ける

2012 年 9 月以降に iCloud アカウントを作成した場合、初期状態ではメールアドレスの末尾は「@icloud.com」になっている。それ以前にアカウントを取得している場合は「@icloud.com」と「@me.com」の 2 種類のメールアドレスが利用できる。

さらに iCloud メールでは、

「エイリアス」を作成することでメールアドレスを増やすことが可能だ。エイリアスとは、同じメールアカウントに届く別のアドレスを作成する機能。「メッセージ」や「FaceTime」の受信アドレスを端末ごとに個別設定したいときに利用すると便利だ。

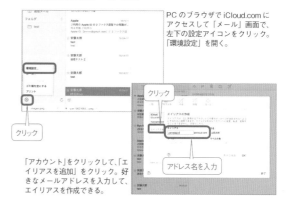

PC のブラウザで iCloud.com にアクセスして「メール」画面で、左下の設定アイコンをクリック。「環境設定」を開く。

「アカウント」をクリックして、「エイリアスを追加」をクリック。好きなメールアドレスを入力して、エイリアスを作成できる。

03

ネットの快適技

Safariの様々な便利技をはじめ、Twitterや
FacebookなどSNSの必須テクニックを網羅。
LINEをiPadで使う方法や、
YouTubeをバックグラウンド再生する裏技なども紹介!

マスト!

073 スクリーンショット スクリーンショット機能を活用する

縦長のページを単一ファイルで保存できる

iPadOSのSafariでは、Webページ1画面ぶんだけでなく、縦長のページ全体を1つのスクリーンショットとして撮影できる。ページ全体を撮影した場合、PDF形式のファイルとして保存するため、オフラインで後からじっくり記事を読んだり、資料としてページをアーカイブしておいたりするような用途に役立てたい。なお、スクリーンショットに手書きできるマーカー機能も利用できるので、ウェブページにちょっとしたメモを書き留めたいような場合に便利だ。

1 スクリーンショットを撮影する

①電源ボタンとホームボタンを同時に押す

②サムネイルをタップ

Safariでスクリーンショット撮影の操作をして、画面左下に表示されるサムネイルをタップする。ホームボタンのないiPadでは、代わりに音量アップボタンを同時押しする。

2 「フルページ」をタップする

①「フルページ」をタップ

②「完了」→「PDFを"ファイル"に保存」をタップ

「フルページ」をタップするとページ全体が1枚のスクリーンショットに収められる。「完了」をタップして「PDFを"ファイル"に保存」をタップする。

074

Safari

リーダー機能でSafariでの情報収集をより効率的に

リーダー機能を使いこなして情報を収集しよう

iPad登場時から標準ブラウザとして活躍している「Safari」は、ウェブを快適に閲覧するためのさまざまな機能が搭載されている。

特に注目したいのはリーダー機能。リーダー機能はウェブページから本文となる部分だけを抽出し、広告を除去して読みやすい形で表示してくれる機能だ。リーダー機能を利用するにはスマート検索フィールド横にあるリーダーアイコンをタップする必要があるが、右の手順4のように操作することで、対応サイトを開いた際に自動で切り替えるようにもできる。

広告記事が多かったり、レイアウトが複雑で読みづらいサイトのみ自動でリーダー表示にしておくのもよいだろう。

複数のページに分割されたニュース記事を読む際にもリーダー機能は便利だ。分割されたページを結合して1つのページとして表示させることができる。

またリーダーで表示しているページをPDF形式にして保存することができる。すぐに消えてしまいそうなページを保存する際はブックマークに登録するよりもPDF形式でローカルにダウンロードしたほうがよいだろう。さらに、PDF形式で保存する際はマークアップを使って注釈を入れることもできるので、メモや補足情報などを書き込んでおくと便利だ。なお、Appleのサイトなど、一部リーダー機能に対応しないウェブページもある点に注意しよう。

リーダー機能を使ってみよう

1 リーダー表示に切り替える

リーダーボタンをタップする

リーダー表示を有効にするには、スマート検索フィールドにあるリーダーボタンをタップし、「リーダー表示を表示」をタップする。なお、このメニューが表示されないサイトはリーダーに非対応だ。

2 元の表示形式に戻す

タップして元の表示形式に戻す

広告や余計な装飾が除去され見やすいレイアウトで表示してくれる。もう一度、リーダーボタンをタップして、「リーダー表示を非表示」をタップすると元の表示に戻る。

3 分割されたページを1つに結合する

2/3ページ

リーダー表示にすると分割されたページを1つに結合して表示してくれる。分割点となる部分に線が引かれ、右端にページ数が表示される。

4 特定のサイトだけ自動的にリーダー表示にする

「自動的にリーダーを使用」をオンにする

特定のサイトにアクセスしたときだけ自動的にリーダー表示にさせることもできる。手順1のメニューで「Webサイトの設定」をタップし、「自動的にリーダーを使用」のスイッチをオンにする。

5 ウェブページをPDF形式に変換する

①「フルページ」をタップ

②「完了」→「PDFを"ファイル"に保存」をタップ

表示しているページをPDFとして保存したい場合は、スクリーンショット撮影の操作（43ページの記事参照）をした後、画面左下のサムネイルをタップし、「フルページ」、「完了」とタップする。

6 マークアップで注釈を入れて保存する

マークアップツール

Webページのスクリーンショットを撮影した直後に、マークアップツールで注釈やメモを手書きできる。

075

Safari

無料でYouTubeの
バックグラウンド再生をする

Safariの
デスクトップモードで
YouTubeを再生する

YouTube公式アプリが不便なのは、プレミアムユーザーでない場合、ほかのアプリに切り替えると自動的に動画が停止し、バックグラウンド再生できないこと。無料ユーザーでもバックグラウンドで再生したいなら、Safariを使おう。

Safariで目的の動画を開いたあと、デスクトップ用サイトに切り替え、その後、YouTube動画とは別に新規タブを1つ開いた状態にする。この状態でホーム画面や別のアプリに切り替えると、再生は一時停止されるが、コントロールセンターから再生を開始すれば、以降はYouTubeアプリに切り替えなくても、音声の再生が継続される。

1 Safariでデスクトップ用
サイトを利用する

①リーダーボタンをタップ

②「デスクトップ用Webサイトを表示」をタップ

Safariで対象の動画を開く。リーダーボタンをタップして「デスクトップ用Webサイトを表示」をオンにする。なお、iPadOSでは標準でデスクトップ用Webサイトが表示されるようになっている。

2 再生させたまま
新規タブを開く

新規タブを追加する

デスクトップ用サイトの状態でYouTubeを再生したまま、新規タブを追加する。新規タブはアクティブにしておく必要はない。

3 バックグラウンドで
再生できる

コントロールセンターで
YouTube動画の再生操作ができる

ホーム画面やほかのアプリに切り替えても、コントロールセンターを表示すると、再生コントロールにYouTubeの動画の情報が表示され、再生ボタンをタップして続きから音声を再生できる。

076

Safari

ウェブページの埋め込み動画を
Safariでフルスクリーン再生する

埋め込み動画は
ピクチャインピクチャ
にも対応

ウェブ上の動画を閲覧する際はSafariを使うと便利。現在では多くの動画配信サイトが、Safariでの動画視聴に対応しており、動画をフルスクリーンで再生できる。さらに、ピクチャインピクチャ機能も利用でき、フルスクリーン再生時にピクチャインピクチャボタンをタップすることで、動画が小さなウインドウで表示され、Safariを閉じてもその中で再生が継続されるので、動画を見ながら他の作業をするのに最適だ。なお、YouTubeの公式ページで再生する動画は、ピクチャインピクチャで再生することができない。

ピクチャインピクチャボタン

フルスクリーン切り替えボタン

1 フルスクリーン再生できる

WebページのSafari対応の動画であれば、プレイヤーのフルスクリーンボタンをタップすることで、iPadの画面全体を使って迫力の動画を楽しめる。

タップすると元の表示に戻る

2 ピクチャ・イン・ピクチャ
で再生する

プレイヤー左上にあるピクチャ・イン・ピクチャボタンをタップすると、動画が縮小表示される。ほかのアプリやホーム画面に切り替えても再生が継続される。なお、ピクチャインピクチャのウインドウをドラッグして移動することもできる。

077 複数のタブを まとめて閉じる

Safariではタブを無制限に開くことができるが、開き過ぎるとタブを1つ1つ閉じるのが面倒になる。開いているタブをまとめて閉じたい場合は、右上にあるタブボタンを長押しして「○個のタブをすべて閉じる」をタップしよう。またタブボタンを長押しして現れるメニューで「新規プライベートタブ」という項目をタップすると表示されるタブでは、閲覧履歴を残さずウェブサーフィンすることができる。

長押しして「○個のタブを閉じる」をタップ

「新規プライベートタブ」をタップ

右上にあるタブボタンを長押し。「すべての○個のタブを閉じる」をタップでまとめて閉じることができる。

「新規プライベートタブ」をタップして開くタブで閲覧したページは閲覧履歴に残らない。プライベートなブラウジングをしたいときに利用しよう。

078 たくさん開いたタブを 管理する

いろいろなページを行き来しているうちに、いつの間にか大量のタブを開いてしまっていた、という経験は誰にでもあるはず。開いているタブが多すぎると、どれが目的のウェブページなのかわからなくなってしまう。そこで、タブのウェブページをすばやく探す2つの方法を紹介しよう。

1つは、タブビューで検索する方法だ。ここでキーワードを入力すると、それが含まれるウェブページが検索できる。もう1つは、古いタブを自動的に閉じるように設定することだ。どちらの方法も簡単なので、ぜひ覚えておこう。

①キーワードを入力すると、

②合致するウェブページのタブが検索される

自動的にタブを閉じるまでの期間をタップする

画面右上のボタンをタップすると表示されるタブビューで、検索ボックスにキーワードを入力すると、合致するページが表示される。

「設定」アプリで「Safari」→「タブを閉じる」とタップして、自動的に閉じるまでの期間をタップし、チェックを付ける。

マスト! 079

Safariから他アプリに 画像やテキストをコピーする

Split Viewでアプリを並列表示にしてドラッグ&ドロップする

Safariで表示しているページからテキストや画像、URLをほかのアプリにコピーする場合はSplit Viewを活用しよう。Split Viewで分割した画面の片方にコピー先のアプリを起動する。Safariからコピーしたい対象のコンテンツを選択して長押しすると、少し浮いた状態になるのでそのままドラッグ&ドロップしよう。コピー&ペーストよりも効率的にデータをコピーできて便利だ。なおコピー可能なアプリはメモ、メール、ファイルなどApple純正アプリが中心となっている。

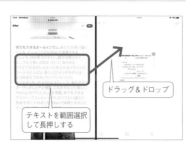

ドラッグ&ドロップ

テキストを範囲選択して長押しする

画像を長押ししてドラッグ&ドロップ

1 テキストを選択して ほかのアプリにコピーする

Split ViewでSafariとコピー先アプリを表示させる。Safariで表示しているテキストを範囲選択して長押しし、少し浮かんだらドラッグ&ドロップしよう。

2 URLをほかのアプリに コピーする

アドレスバーを長押ししてドラッグ&ドロップ

Safariで表示しているページのURLをコピーする場合は、スマート検索フィールドを長押しし、少し浮かんだらドラッグ&ドロップしよう。

3 画像をほかのアプリに コピーする

Safariで表示しているページ内にある画像をコピーする場合は、画像を長押しし、少し浮かんだらドラッグ&ドロップしよう。

080

Safari

ウェブページの見苦しい広告をカットする

コンテンツブロッカーを有効にして対応アプリをインストールする

Safari にはウェブ広告を非表示にしてくれる「コンテンツブロッカー」という機能が用意されている。ウェブ上の余計な広告を消したいなら有効にしておこう。なお、コンテンツブロッカーを利用するには機能を有効にするだけでなく、別途対応アプリを App Store からダウンロードする必要がある。

App

Adblock Plus
作者／Eyeo GmbH
価格／無料
カテゴリ／仕事効率化

1 Safariのコンテンツブロッカーを有効にする

コンテンツブロッカーの「Adblock Plus」を有効にする

「設定」アプリを開き、「Safari」を開く。メニューから「コンテンツブロッカー」を選択して、「Adblock Plus」を有効にしよう。これで、広告が自動的に消去される。

2 特定のページだけ広告を表示する

「コンテンツブロッカーをオフにする」をタップ

Safari のスマート検索フィールドのリーダーアイコンをタップし、メニューから「コンテンツブロッカーをオフにする」をタップすると、そのページのみ広告が表示される。

081

ウェブ翻訳

Safariで表示した海外サイトを日本語に翻訳する

海外サイトを日本語に翻訳する

Safari でおもに海外サイトを閲覧することが多いユーザーは翻訳アプリ「Microsoft Translator」をインストールしよう。単体でも使える翻訳アプリだが、Safari の共有メニューから起動して表示中のページを翻訳することもできる。英語から日本語への翻訳はもちろんのこと、60 以上の言語に対応しており、Safari だけでなく Chrome やほかのブラウザの共有メニューから利用することができる。海外サイトのウェブ閲覧が劇的に楽になるだろう。

1 共有メニューからMicrosoft翻訳を起動する

共有メニューから「Translator」をタップする

アプリをインストール後、Safari で翻訳したいページを開き、共有メニューから「Translator」をタップする。

2 英語ページを日本語表示に変換してくれる

翻訳する言語は自動判別されるが、画面上端に表示される黄色いエリアをタップして、言語を手動で切り替えることもできる。

App

Microsoft Translator
作者／Microsoft Corporation
価格／無料
カテゴリ／仕事効率化

082

多機能ブラウザ

PCでChromeを使っているなら iPadでもChromeを使おう

Googleアカウントで同期できる多機能ウェブブラウザ

　Google Chrome（以降「Chrome」と表記）は、Safariと同様にインターネット上のウェブページを閲覧するためのブラウザと呼ばれるアプリだ。URLを入力してウェブページを表示する、タブで複数ページを同時に開く、よく見るページをブックマークで管理するといったブラウザとしての基本機能を完備しており、Safariの代わりに使うのに最適だ。使い勝手もSafariに近く、URLの入力や、ウェブ検索のキーワードの入力は、画面上端にあるアドレスバーから行うため、Safariに慣れていれば迷うことなく使い始められるだろう。

　Chromeの利点はそれだけではない。ChromeはiPadだけでなく、WindowsやMac、Androidといったさまざまなデバイス向けにアプリが無料で提供されており、それぞれで同じGoogleアカウントでログインすることで、ブックマークや開いているタブに至るまで、同期できるのだ。これにより、自宅のPCで閲覧していたウェブページの続きを、外出先に持ち出したiPadで読むといったことが可能になり便利だ。Safariにもi Cloudを使って他のデバイスと同期する機能が備わっているが、SafariのWindows版やAndroid版は存在しないため、iPadの他にこれらのデバイスを使っているのであれば、Chromeの方が日常的な使用に向いている。

　なお、iPadOS 14以降の環境で、Chromeが最新バージョンであれば、Chromeを標準ブラウザとして設定できる。

Chromeを使ってみよう

Safariと比べてすっきり、シンプルな画面デザインのChrome。画面上部のタブをタップすることで、複数のウェブページを切り替えて表示できる。その下にはURLや検索キーワードを入力する検索ボックスが配置されている。

①「…」をタップ
②「設定」をタップ

2 設定画面を表示する

Googleアカウントでログインすると、タブの同期などの機能が利用できる。まずは画面右上の「…」をタップし、「設定」をタップする。

3 Chromeにログインする

タップしてログインする

設定画面が表示されるので、「Chromeにログイン」をタップし、続けて表示される画面でGoogleアカウントを入力する。

4 他デバイスのタブを表示する

①このボタンをタップ
②他のデバイスで開いているタブが表示される

画面右上の数値が表示されたアイコンをタップ、画面上の右端のボタンをタップすると、他のデバイスで開いているタブが表示される。

point

Chromeを標準ブラウザにする

ChromeをSafariに代わって標準ブラウザにするには、「設定」アプリで「Chrome」→「デフォルトのブラウザApp」とタップし、「Chrome」をタップしてチェックを付ける。標準ブラウザにすると、他のアプリでURLをタップした場合に、Chromeが起動してそのウェブページが開くようになる。

タップしてチェックを入れると標準ブラウザに設定される

App

Google Chrome ブラウザ
作者／Google LLC
価格／無料

083

多機能
ブラウザ

超便利なSmoozブラウザを使おう

約30ものブラウザ操作をジェスチャー操作に割り当てることができる

iPadには標準でウェブ閲覧をするためのSafariブラウザが搭載されているが、その操作性はパソコン用のブラウザと同じで、iPadならではの操作ができないのが難点だ。iPadで複数のサイトを効率的に閲覧するなら「Smooz」を使おう。

Smoozは多機能ブラウザ。ジェスチャー操作だけでさまざまな操作ができるのが最大の特徴で、画面上に指で軌跡を描くだけで、ブックマークを開いたり、進む、戻る、タブの開閉などが行える。標準ではジェスチャー操作はオフになっているので、利用する場合は設定画面から有効にしておこう。

ジェスチャーは「上から下へL字に軌跡を描く」「上から下へ逆L字に軌跡を描く」など4パターン用意されており、ほかにトリプルタップという3回連続画面をタップしてブラウザ操作を行うジェスチャーも用意されている。

各ジェスチャーには、あらかじめ指定されたブラウザ操作が割り当てられているが、自由にほかのブラウザ操作に変更することができる。利用できる操作項目は約30ほど用意されている。よく利用するブラウザ操作を各ジェスチャーに割り当てよう。

App

Smooz（スムーズ）ブラウザ
作者／Astool Inc.
価格／無料
カテゴリ／ユーティリティ

ジェスチャー機能を有効にして使ってみよう

1 メニューボタンから設定をタップする

Smoozを起動したら、右下端のメニューボタンをタップして、設定アイコンをタップする。

2 ジェスチャー機能を有効にする

設定画面から「ジェスチャー」を選択する。標準設定ではジェスチャー操作はオフになっているので有効にしよう。これでジェスチャーが利用できるようになる。

3 ジェスチャー操作をカスタマイズする

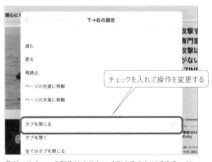

各ジェスチャーの動作はカスタマイズすることができる。ジェスチャー名をタップしよう。よく利用するブラウザ操作に設定を変更しなおそう。

4 ジェスチャーを追加する

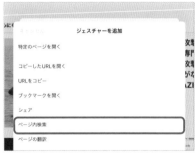

設定画面で「ジェスチャーを追加」をタップして、ブラウザの操作をタップすると、その操作に任意のジェスチャーを割り当てられる。

5 画面上でジェスチャーをしてブラウザ操作を行う

設定が終わったら、画面上で実際にジェスチャー操作をしてみよう。指定したブラウザ操作が実行される。

point

カメラ撮影した文字や画像をGoogleで検索する

SmoozではiPadのカメラに映った文字を読み取り、それをGoogleで検索する「かざして検索」という機能が利用でき、外出先で、ふと調べたくなった広告やパンフレットに印刷された文字をカメラでかざすだけで調べることができ便利だ。

Smoozのホーム画面の検索ボックスをタップし、キーボード上部に表示される左から2番目のアイコンをタップして機能を呼び出せる。

084

Twitter

Twitterで
コミュニケーションを楽しもう

公式アプリ
だからこそ便利な
機能が多数搭載

誰もが利用している世界最大のSNS「Twitter」。iPadでTwitterを利用するなら、ブラウザでTwitterのサイトにアクセスするよりも、公式アプリ「Twitter」を使ったほうがはるかに便利だ。ツイートの投稿、リプライ、RT、リスト管理、ダイレクトメッセージなど、PCのブラウザで利用できることであれば、iPadからでもたいていは行える。引用ツイートや重要な新着ツイートをトップに表示する新しいタイムライン、ダークモード機能など、ごく最近追加されたTwitterの新機能にもばっちり対応している。

また、マルチアカウントに対応しており、複数のTwitterアカウントを簡単に切り換えることができるので、仕事用アカウントとプライベート用アカウントを作っている人におすすめ。「検索」タブを開けば、現在Twitterで話題になっているニュースを一覧できるので、ニュースアプリとしても役立つだろう。

画像や動画を投稿する際も公式アプリは便利。iPadで撮影した写真を投稿する際は、内蔵している写真レタッチ機能を使って、トリミングをしたり、ステッカーを貼り付けたりできる。

App

Twitter
作者／Twitter, Inc.
価格／無料

Twitterの公式アプリを使いこなそう

1 重要なツイートを優先表示

画面右上のボタンをタップすると表示されるメニューから、タイムラインの表示形式を時系列順／重要なツイート（トップツイート）順に切り替えることができる。

2 最新トレンドもチェックできる

画面左の虫眼鏡アイコンをタップすると、Twitter上で話題になっているトピックをチェックできる。トピックのジャンルは、画面上のタブで切り替え可能。

3 写真にステッカーを貼る

タイムラインへの投稿には、写真を添付することもできる。写真にはユニークなステッカーを添付して演出可能だ。写真の隠したい部分に貼る利用法もある。

4 写真にフィルタをかける

フィルタを選択

写真を投稿する際、添付した写真の右下に表示される鉛筆アイコンをタップするとレタッチができる。フィルタを適用したり、トリミングが行える。

5 ダークモードにする

ダークモードのスイッチをオンにする

左端の一番下のアイコンをタップすると表示されるポップアップで、左下の豆電球アイコンをタップすると、ダークモードを有効にできる。

6 アカウントを追加する

作成済みのアカウントを使う

左端の一番下のアイコンをタップすると表示されるポップアップで、右上のアイコンをタップすると、Twitterアカウントを追加できる。複数アカウントを使い分けたい場合に活用しよう。

085 特定期間に投稿された ツイートを検索する

SNS

Twitter から効率的に目的のツイートを探すなら、さまざまな検索コマンドを覚えておこう。Google と同じく Twitter では複数のワードを入力して検索する AND 検索に対応している。また検索フォームに「from:ユーザー名」を入力すると、特定のユーザー内のツイートに絞って検索することができる。また 2020年1月から12月までなど指定した期間内のツイートのみ表示させたい場合は「since:2020-01-01 until:2020-12-31」と入力しよう。

たとえば「首相官邸」アカウントが 2020年につぶやいたツイートから「安倍」を含むものを抽出したい場合は「from:kantei」「安倍」「since:2020-01-01 until:2020-12-31」の 3つのコマンドを AND 検索すればよい。

086 Twitterで 通信量を減らすには?

SNS

Twitterを使っていると、最新ツイートやトップツイートが自動的に更新されて表示されるため、外出先で携帯電話回線を使ってインターネットを使っている場合は、思ったよりもデータ通信量が多くなってしまう。Twitterの公式アプリには、こうした意図しないデータ通信量の肥大を防いでくれる「データセーバー」という機能が搭載されているので、これを有効にしておこう。データセーバーを有効にすると、動画の自動再生が無効になり、画像の画質が自動的に下げられる。

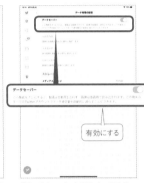

Twitter の公式アプリの画面左下のアイコンから「設定とプライバシー」→「データ利用の設定」をタップする。

「データセーバー」のスイッチをタップして機能を有効にすると、以降はデータ通信量が抑えられる。

087 複数SNSのアカウントを 1つのアプリで運用する

SNS

5大SNSをまとめて管理できる

複数のSNS アカウントを登録して、各アカウントのタイムラインなどの情報を一元管理できるアプリ。SNS ごとにアプリを切り替える必要がない。対応しているSNS は、Twitter、Facebook、Instagram、LinkedIn、YouTube。無料版は3 アカウントまで登録できる。また記事を投稿する際は、複数のSNS に同時投稿することができる。

App

Hootsuite
作者／Hootsuite Media Inc.
価格／無料

アカウント情報を入力

1 アカウントを追加する

画面左のサイドバーで「ソーシャルネットワークを追加」タップし、SNS の種類を選択して、アカウント情報を入力する。

2 複数SNSにまとめて投稿する

追加したアカウントを使って、複数SNS に同内容の投稿をまとめて行える。スケジュールを設定してその日時が来たら自動投稿することもできる。

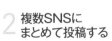

088 Twitter リストを管理して Twitterを快適に閲覧しよう

左右スワイプで ホーム画面や リスト画面を変更

無料で高機能なツイッタークライアイントとして人気が高いのが「TheWorld」。ホーム画面やメンション、リスト画面などを左右スワイプで切り替えて閲覧できる。多数のリスト管理をしている人に特に便利だ。標準では英語メニューになっているので、設定画面から日本語表示に切り替えて使おう。

App

TheWorld for Twitter
作者／akihiro
価格／無料

①プロフィールアイコンをタップ
②「Public」をタップ

1 プロフィール画面から リストを追加する

リストを表示するには、右上のプロフィールアイコンをタップして「Public」をタップ。リストが表示されるので、追加したいリストを選択しよう。

2 左右スワイプで 切り替える

画面を左右にスワイプすると、ホーム画面やリスト画面に切り替えることができる。
左右にスワイプ

089 SNS 公式アプリでFacebookの コミュニケーションを満喫しよう

本格的な写真の レタッチ機能は豊富 「超いいね!」にも対応

Facebook の公式アプリも、Twitterと同様にiPad用に使いやすく設計されている。写真投稿機能では、さまざまなフィルタを使ってレタッチでき、スタンプや文字の挿入も可能。友達の投稿にも多彩な反応を選べる。ニュースフィードの見やすさも専用アプリならでは。各投稿にはもちろん、「いいね」や「超いいね」が付けられる。

App

Facebook
作者／Facebook, Inc.
価格／無料

1 「いいね」を付けよう

各投稿には、「いいね」や「超いいね」などのアイコンを付けたり、コメントを投稿したりできる。また、投稿の背景に画像を設定することも可能。

2 多彩な 写真編集機能

Facebook の写真レタッチ機能はかなり豊富。フィルタを使ったり、スタンプを挿入したり、テキストを入れることが可能だ。

090

Instagramで写真コミュニケーション!

Safariで Instagramに アクセスする方法もある

「映える」写真を共有できるSNSとして世界中で人気のInstagram。ブレイクのきっかけはスマホ用アプリで、もちろんiOS版もリリースされているが、残念ながらこのアプリはiPadには最適化されていない。それでも、写真の加工や投稿などをしたい場合は、拡大画面になってしまうがiOS版アプリを使うのも手だ。写真の鑑賞がメインの場合は、SafariでInstagramの公式サイトにアクセスしよう。Webブラウザからの利用では、写真の投稿や加工などはできないようになっているが、他のユーザーの写真に「いいね」を付けたり、コメントを寄せたりできるので、写真を通したコミュニケーションという観点では有用だ。

1 すべての機能を使うなら iPhone用アプリ

残念ながらアプリは iPad に最適化されていないが、Instagram のすべての機能を利用できる。

App

Instagram
作者／Instagram, Inc.
価格／無料
カテゴリ／写真・ビデオ

2 アプリなら写真の投稿もできる

ブラウザでアクセスしても写真の投稿はできないが、公式アプリなら可能。もちろん、Instagram ならではの美しいフィルターも利用できる。

091

ショッピングやサービス利用のための パスワードを一元管理

パスワードを 強固かつ安全に 管理する

Web サービスで利用する ID やパスワードが全部同じだと危険。かといってバラバラのパスワードは覚えきれない。そこで「1Password」を使おう。各サービスごとに異なるパスワードを設定しても、このアプリ経由であれば 1 タップでログイン可能となる。ほかの iOS 機器でもパスワードを同期できる。

App

1Password
作者／AgileBits Inc.
価格／無料(アプリ内課金あり)

1 サービスのパスワード を設定

無料版を利用するには起動後、「スタンドアロン保管庫を作成」をタップ。メイン画面が表示されたら上部にある「+」をタップして各サービスの入力情報を登録しよう。

2 パスワードを 自動入力できるようにする

iPadの「設定」アプリで、「パスワード」→「パスワードを自動入力」とタップすると表示される画面で、「1Password」にチェックを付けると、以降ブラウザで所定のウェブページにアクセスする際、アプリに登録したアカウント情報が自動入力される。

092

無料通話

さまざまなコミュニケーションに便利な「ZOOM」を使う

テレワーク、オンライン飲み会に必須のアプリ

新型コロナウイルスによる緊急事態宣言が発出された状況で、大きく注目されたアプリの1つが「ZOOM Cloud Meetings」（以降「ZOOM」と表記）だ。多くの人々が外出自粛を余儀なくされる中でも、経済活動としての仕事や生活を完全に止めることはできないというジレンマの中で、インターネット回線を使ってビデオミーティングができるZOOMは、オンライン会議ツールとしてだけでなく、iPadの画面を通じて仲間と対面しながら気楽に歓談するという、オンライン飲み会という新たな文化を作ったといっても過言ではないだろう。

ZOOMがここまで浸透した理由は、アプリをインストールしてアカウントを作ればすぐに、ビデオミーティングが始められる手軽さだろう。また、iPadだけでなく各種スマートフォン、パソコンなど、幅広いデバイス向けに無料アプリが提供されているため、使っているデバイスを問わずに使える点も魅力だ。無料アカウントでは、3人以上のビデオミーティングに時間制限（30分）があるものの、1対1であれば無制限で使える。ビデオミーティングでは、自分の背景に映る自宅の様子や生活感が心理的障壁になることがあるが、ZOOMには画像を使って背景を隠すことができる「バーチャル背景」という機能が用意されているため、心配は無用だ。同様の機能は現在では他の同種のアプリにも採用されているが、いち早く採用したのはZOOMだ。

ZOOMには他にも、音声通話やチャット、ホワイトボードを使った手描きイラストや文字の共有など、多彩なツールが用意されている。

ZOOMを使ってみよう

1 複数人とオンラインで対面できる

③タップするとミーティングを終了する

②タップしてメニューからチャットやホワイトボード共有ができる

①タップすると中央に大きく表示される

ZOOMのビデオミーティングでは、参加者のリアルタイムの映像を見ながら会話することができる。他の参加者の映像が表示されている枠をタップすれば、その参加者を画面中央に大きく表示することができる。

2 「ホーム」からミーティングを開始できる

タップすると「ホーム」の画面が表示される

ミーティングを開始するには、「ホーム」の画面で「新規ミーティング」をタップする。ここからスケジュールや画面の共有も可能だ。

3 ミーティングに招待する

③招待リンクの送信方法をタップ

①「参加者」をタップ

②「招待」をタップ

自分が始めたミーティングに相手を招待するには、ミーティングの画面で「参加者」→「招待」とタップし、招待方法をタップする。

4 ミーティングに参加する

①相手のミーティングIDを入力

②「参加」をタップ

相手からミーティングへの招待を受けた場合は、招待に記載されたリンクをタップする。もしくは「ホーム」で「参加」をタップし、相手のミーティングIDを入力する。

5 バーチャル背景を設定する

①背景にする画像をタップ

②タップするとオリジナルの画像を設定できる

背景を隠すバーチャル背景を設定するには、ミーティングの画面で「詳細」→「バーチャル背景」とタップする。既定のものの他、iPadで撮影した写真なども設定できる。

App

ZOOM Cloud Meetings
作者／Zoom
価格／無料

093

無料通話

スタンプ、電話、ビデオ通話、何でも アリのコミュニケーション、LINEを利用する

スマホ版LINEと データ内容を同期して 利用できる

　無料音声通話といえば言わずと知れた国内最大の無料通話アプリ「LINE」だ。LINE は iPad でも利用することができる。

　LINE を利用するには App Store から iPad 用 LINE をダウンロードすればよい。既にほかのスマホで利用している LINE アカウントにログインして利用するかたちとなる。ログインすると、iPad 上でもスマホと同じように音声通話やメッセージの送信などに利用できるようになる。ほかにスタンプショップを利用したり、タイムラインを閲覧することも可能だ。なお iPad 版 LINE を利用するには、本人確認のため、ログイン時に表示されるコード番号を、スマホ版 LINE を起動して入力する必要がある。以前は iPad 版 LINE にログインすると、スマートフォン側の LINE が強制ログアウトになってしまい、トーク履歴も消えて不便だったが、現在は iPad でもスマートフォンでも同時に同じアカウントにログインしてデータを同期できる。

　さらに「LINE」アプリでは、新たに新規 LINE のアカウントを取得することも可能。iPad 版専用の LINE アカウントを作成したい場合はこちらを利用しよう。

App

LINE
作者／LINE Corporation
価格／無料

「LINE」のすべての機能が利用できる

1 定番の無料通話とビデオ通話

タップしてビデオ通話開始
タップしてトーク開始
タップして無料通話開始

友だちリストで目的の友だちをタップ、相手のプロフィールが表示されたら、「無料通話」「ビデオ通話」をタップしてコミュニケーションを開始できる。

2 スタンプが楽しいトーク

メッセージを入力して送信

手順1の画面で「トーク」をタップすれば、テキストチャットが楽しめる。LINEでおなじみのユニークなスタンプの数々も、もちろん使える。

3 好みのスタンプを手に入れよう

アプリ内からスタンプショップも利用可能。クリエイターズスタンプや動くスタンプなど、個性を発揮できるさまざまなスタンプが選び放題だ。

4 スタンプの管理は設定から

タップしてスタンプを編集できる

手に入れたスタンプを並べ替えたり、不要なスタンプを削除したりするには、LINEアプリの設定画面で「スタンプ」→「マイスタンプ」とタップする。

5 写真の加工も自由自在

タップしてフィルターを適用できる

トークルームに投稿する写真には、スタンプを添えたり、フィルターを使って雰囲気を一変させたりできる。これらの機能を使って「映える」写真にしよう。

point
アカウント共有の注意

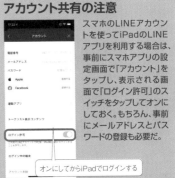

オンにしてからiPadでログインする

スマホのLINEアカウントを使ってiPadのLINEアプリを利用する場合は、事前にスマホアプリの設定画面で「アカウント」をタップし、表示される画面で「ログイン許可」のスイッチをタップしてオンにしておく。もちろん、事前にメールアドレスとパスワードの登録も必要だ。

094 気になったサイトは「あとで読む」を利用する

あとで読む

Safariのリーディングリスト機能はオフラインでも使えて便利だが、連携機能が豊富な「あとで読む」サービス「Pocket」は保存した記事をさらに活用できるアプリで、レイアウトがスタイリッシュでカッコいいのが特徴だ。Safariの共有メニューから呼び出してページを保存しよう。

App

Pocket
作者／Idea Shower
価格／無料　言語／英語

共有メニューから呼び出して使用する

Pocketを利用するには、アカウントを作る必要がある。起動したらまずアカウントを取得しよう。Gmailのメールアドレスがあれば、メールアドレスをそのままアカウント名にして利用できる。

095 ウェブページやツイートをストックして、いつでも読み返す

あとで読む

Safariのリーディングリストや一般的な「あとで読む」アプリはウェブページしか保存できない。しかし「Keep Everything」なら、Twitterの気になるツイートや購読しているメルマガなど、あらゆるデータを「あとで読む」として一時保存することが可能だ。保存した記事はオフラインでも閲覧可能だ。

Keep Everythingはバックグラウンドで動作するアプリ。起動したらTwitterアプリで保存したいツイートを開き、右下の共有ボタンからその他の方法でツイートを共有」をタップし、次の画面で「Keep」をタップして保存できる。

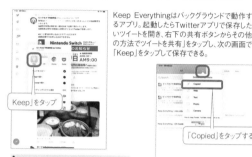

「Keep」をタップ

「Copied」をタップする

App

Keep Everything
作者／groosoft
価格／無料

うまくバックグラウンドでコピーできないときは手動で追加しよう。保存したいものをコピーしたら、右上の追加ボタンから「Copied」を選択しよう。

096 雑誌を読むような感覚で最新ニュースをチェックする

ニュース

「FlipBoard」は、ニュースサイトの記事を雑誌や紙の本のようなレイアウト形式にして閲覧できるアプリ。ページ切り替え時は紙をめくるような視覚効果を与えてくれる。また、「ニュース」「テクノロジー」「写真」など自分の気になるカテゴリを選択するだけで自動で記事を選別してくれる点も便利だ。

App

Flipboard
作者／Flipboard Inc.
価格／無料

初めて起動したら閲覧したいニュースのカテゴリにチェックを付けよう。ページをめくるときは画面を左右にゆっくりスワイプしよう。紙のページをめくるように次のページが表示される。

097 Googleが提供する最新ニュースをアプリでチェック

ニュース

「Googleニュース」は信頼性の高い大手ニュースサイトから重要な記事をピックアップして表示してくれるアプリ。カスタマイズ機能が豊富で「フォロー中」にキーワードを登録すれば、キーワードに関する重要記事だけを効率的に読むことができる。また、現在位置情報から地元のニュース記事だけを拾い集めることもできる。

App

Googleニュース
作者／Google, Inc.
価格／無料
カテゴリ／ニュース

タップしてトピックを追加

タップして地域を追加

画面下の「フォロー中」をタップし、「トピック」の「＋」をタップすると、関心のあるトピックやニュース配信元を選ぶことができる。

地域のニュースを読みたい場合は、「フォロー中」の「すべてを表示して管理」をタップして、目的の地域を登録しておこう。

098 ニュース ニュースをアラカルトで楽しむ

300チャンネル以上のコンテンツからニュース記事を収集

今話題のニュースを効率的にチェックするなら「スマートニュース」が便利。300チャンネル以上のコンテンツから話題のニュース記事を厳選して配信してくれる。「エンタメ」「スポーツ」「グルメ」「コラム」「テクノロジー」など多彩なカテゴリから自由に選択してフィルタリング表示することも可能。

App

スマートニュース
作者／SmartNews, Inc.
価格／無料

1 カテゴリを選択して記事をタップ

起動すると人気のニュース記事が一覧表示される。上部にあるカテゴリから気になるものをタップしてフィルタリングすることが可能。

2 記事を共有する

記事を保存したい場合は、右上にある共有ボタンをタップ。メールやTwitter、Evernoteなどに手軽に記事を共有することができる。

---

099 ニュース 識者のコメントを通じて、ニュースの深層を知る

業界の信頼性の高い専門家や著名人のコラムやコメントが豊富

「NewsPicks」は経済やビジネスに特化したニュースアプリ。国内・海外の最先端の経済ニュースを厳選して配信している。ほかのニュースアプリと異なりエンタテイメントやライフスタイルのようなジャンルは用意されていないが、その分、業界の信頼できる専門家や著名人のコラムや記事の解説コメントが豊富なのが大きな特長だ。

App

NewsPicks（ニューズピックス）
作者／UZABASE, Inc.
価格／無料

1 経済・ビジネス関する深い記事が読める

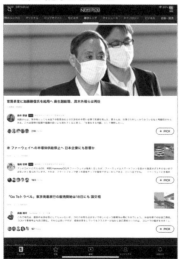

記事に寄せられたコメント数がヘッドラインに表示されるので参考にしたい。

2 記事に対する業界人たちのコメントが読める

各ニュース記事にはその記事に対して付けられたコメントも表示される。また、識者をフォローすることでその人がコメントを投稿したときに通知される。

100

5ちゃんねる

実は貴重な情報の宝庫？
巨大掲示板5ちゃんねるを活用する

検索から
フィルタリングまで
快適に閲覧する
機能が満載

　5ちゃんねるをブラウジングする場合は、SafariやChromeなどの通常のブラウザよりも、5ちゃんねる専用のブラウザを利用したほうが効率よく情報を収集できる。5ちゃんねるブラウザはさまざまあるが、iPadで利用するのに特に便利なのは「twinkle」だ

　twinkleを起動すると5ちゃんねるの板が一覧表示されるので、板を選択して閲覧したいスレッドを選択しよう。画面右側にスレッドが表示される。強力な検索機能が搭載されており、表示されているスレッド内から指定したキーワードを含むレスを素早く探すことができる。スレッドタイトル検索も可能で、5ちゃんねる内から指定したキーワードを含むスレッドを探すこともできる。

　フィルタリング機能も充実しており、スレッド内から画像URLを含むレスのみ抽出したり、人気のレスのみフィルタリングして表示させることができる。あらかじめ指定しておいたキーワードを含むレスを非表示にする「あぼーん」機能も搭載している。

　なお、twinkleの初期設定では、表示できる板が限られている。5ちゃんねるの全ての板を表示するには、設定画面で板表示設定をカスタマイズする必要がある。ほかにも設定画面ではスレッド内に貼られた画像をサムネイル表示させたり、広告位置の設定を変更するなど重要な機能が多いので、チェックしておこう。

App

twinkle
作者／Kazuhiro Hamatani
価格／370円

twinkleで5ちゃんねるをブラウジングする

1 設定ボタンをタップする

起動したらまずは全ての板を受信する設定を行う。左下の設定ボタンをタップして「標準の板のカスタマイズ」をタップする。

2 板カテゴリをカスタマイズする

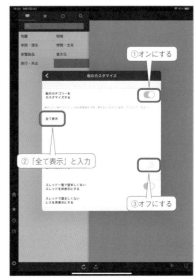

「板のカテゴリーをカスタマイズする」をオンにして、下のスペースに「全て表示」と入力する。「望ましくないと思われる板は非表示にする」をオフにしよう。元の画面に戻ったら板を更新しよう。

3 スレッドタイトルを検索する

画面左上の検索ボックスにキーワードを入力すると、それをタイトルに含むスレッドが検索される。よく見るスレッドをお気に入りに登録することもできる。

4 ポップアップからレスをする

スレッド内のレス（投稿）を長押しすると表示されるポップアップから、レスに対するレスを投稿できる。また、不快な投稿者をNG指定して非表示にすることもできる。

SECTION 04

写真・音楽・動画

まずは機能アップの激しい
「写真」アプリをマスターしておきたい。
他に動画、音楽系アプリも
実用的で楽しめるものを厳選している!

101 外部ストレージ 外付けストレージを音楽、動画鑑賞に有効利用する

「ファイル」アプリで USBストレージの 読み書きができる

　iPadOSではLightning-USB変換アダプタを利用すればUSBメモリや外付けハードディスク内のデータを読み書きできる。つまり、外付けストレージ内の写真やテキストはもちろんのこと何百MBもある大きな動画ファイルもiPadとともに持ち運びできるようになる。USBストレージメディア内にあるファイルを直接再生することもできるので、音楽や動画ファイルを大量にiPadと同期していたユーザーはストレージサイズを気にする必要はなくなるだろう。

ドライブ名をタップ

ファイルが表示される

1 USBストレージを取り付ける

Lightning-USB変換アダプタを付けたあとファイルが保存されているUSBメモリを接続する。「ファイル」アプリを開くと左メニューのドライブ名が表示され、タップするとドライブ内のファイルが表示される。

2 ファイルを再生する

中にある動画ファイルをタップすればiPad上で直接再生することができる。動画だけでなく音楽ファイルやPDFなどiPadで閲覧できるものであれば何でも再生できる。

102

写真

サイドバーが追加され新しくなった 「写真」アプリを使いこなそう

目的の写真への アクセスや 整理が楽になった

iPadOS 14から標準アプリの多くが再設計され、サイドバーが追加されている。写真アプリもサイドバーが追加され、これまでの下部メニューのインターフェースと異なる使用感になった。

新たに追加されたサイドバーを開くと「ピープル」「撮影地」「ビデオ」「Live Photos」など、以前のiPadOSでは「アルバム」タブ内で細かく分類されていた項目が一覧表示され、目的の項目にワンタップでアクセスすることができる。各項目をタップするとプルダウンメニュー形式で、その項目内に作られたアルバムが表示され、以前のように「戻る」「進む」といった操作をする必要がなくなっている。

アルバムや写真を整理する際にもサイドバーは優れている。マイアルバムに表示されているアルバムに限って、「編集」メニューから順番を自由に並び替えることができる。また、編集メニューではアルバムを削除したり、新たに作成することもできる。

また、iPadを横向きにすることでサイドバーを常に表示させることができ、各アルバム内の写真をドラッグ&ドロップでほかのアルバムに移動させることができる。複数の写真を選択した状態で移動させることもできる。

ほかのアプリとの連携性も高い。Split ViewやSlide Overで起動しているアプリ上に表示されている写真をドラッグ&ドロップで写真アプリに保存することが可能だ。

新しく追加されたサイドバーを使いこなそう

1 サイドバーを表示させる

サイドバーを表示させるには、写真アプリ左上にあるサイドバーボタンをタップしよう。左からサイドバーが現れる。

2 プルダウンメニューを開く

各項目にあるアルバムを開くには、項目横にあるプルダウンメニューをタップしよう。アルバムが展開される。

3 サイドバーを編集する

各アルバムをタップすると右側にフォルダ内のファイルが表示される。「新規アルバム」からアルバムを作成することもできる。アルバムを編集するには「編集」をタップする。

4 アルバムを並び替え、削除する

アルバム横に編集ボタンが表示される。並び替えをしたい場合は、右側のボタンを上下にドラッグしよう。削除する場合は左側の削除ボタンをタップしよう。

5 横向きにしてファイルを他のアルバムに移動する

iPadを横向きにするとサイドバーが自動的に表示され固定される。この場合、アルバム内の写真をドラッグでほかのアルバムに直接移動させることができる。

6 ほかのアプリ上の写真をアルバムに保存する

Safariで表示している画像を写真に保存する際、Split Viewを利用すればドラッグ&ドロップで特定のアルバムに素早く保存できる。

103

写真

写真アプリの「For You」タブを使いこなそう

写真をまとめてスライドショームービーも作成してくれる

「写真」アプリには「ForYou」というメニューがある。「For You」タブを開くと、旅行先で撮影したと思われる写真やハイライトを自動的にまとめてくれる。ただまとめるだけでなく写真をつなげてムービーに変換して、スライドショー形式で再生することも可能だ。

また、作成されたムービーは自分で編集することもできる。編集画面でタイトル、タイトルイメージ、バックグラウンドで流すミュージック、フォントなどを設定しよう。作成したムービーは共有メニューから外部アプリへ保存することができる。

1 「For You」タブを開く

「写真」アプリから「For You」タブをタップすると、おすすめの写真や旅行先で撮影した写真をまとめてくれる「メモリー」などが表示される。

2 ムービーを編集する

「メモリー」で作成された写真を開くとスライドショームービーが自動で作成されている。編集画面からタイトル、ミュージック、フォントなどを変更することができる。

上級技 iPad OS14

104

写真

アクションボタンが追加されより快適になった写真アプリ

フィルタ機能を使って写真を絞り込む

写真アプリのライブラリ画面右上に新しくアクションボタンが追加された。アクションボタンから写真を古い順または新しい順に並び替えたり、並び順を変更したり、表示形式をスクエア形式やアスペクト形式に変更できる。

特に便利なのはフィルタ機能だろう。ライブラリから「お気に入り」「編集済み」「ビデオ」「写真」ごとに写真を絞り込み表示でき、複数の条件を指定することもできる。なお、「編集済み」の写真とは、過去に写真アプリでレタッチされたもので、オリジナルの状態に戻すことが可能な写真だ。

1 アクションボタンをタップ

写真一覧画面右上にあるアクションボタンをタップする。アクションメニューが表示される。フィルタを利用する場合は「フィルタ」をタップ。

2 フィルタを選択する

利用するフィルタにチェックを入れるとそのフィルタが適用される。なお、アルバムによってアクションメニューやフィルタメニューは変化する。

105 写真/ビデオ iPadのストレージ不足の回避に役立つ ベストな写真クラウドサービスはどれ?

Googleフォトか Amazon Photosか どちらかを選択しよう

iPadのカメラの解像度は非常に大きいため、撮り貯めているとストレージがすぐにいっぱいになってしまう。まめに写真をバックアップする必要があるが、その際に役に立つのが写真を無制限にアップロードすることができるクラウドサービスだ。

最も有名な写真無制限のストレージサービスといえば「Googleフォト」だろう。通常、無料では15GBしか利用できないが、Googleフォトが提供する写真圧縮メニュー「高品質モード」でアップロードすれば、容量無制限でいくらでもアップロードすることが可能だ。圧縮されるといっても、基本的に1600万画素以上が圧縮される対象なので、iPadのカメラで撮影した写真ならば解像度が下がることはなく、パッと見でわからないぐらいにサイズが縮小されるだけだ。一般ユーザーであれば無料で使えるGoogleフォトがおすすめだ。

しかし、一眼レフを使うような、見た目よりも劣化そのものが許せないこだわりユーザーなら、Amazonが提供する写真無制限のストレージサービス「Amazon Photos」を利用しよう。年間4,900円のAmazonプライムユーザー限定のサービスだが、画像ファイルに限って無劣化かつ無制限でいくらでも写真をアップロードすることができる。さらに、写真だけでなく動画も5GBのストレージを無料で利用できる。特にカメラにこだわりはないが、すでにAmazonプライムユーザーに入会しているならAmazon Photosを利用するほうがよいだろう。

各サービスのクライアントアプリをダウンロードしよう

App
Googleフォト
作者／Google, Inc.
価格／無料

1 Googleフォトを インストールする

Google フォトを初めて起動すると写真や動画のアップロードサイズ設定画面が表示される。ここで「高画質(無料、容量無制限)」を選択すれば、無制限でアップロードできるようになる。

2 自動で アップロードされ分類される

インストールが完了するとiPad内に保存されている写真が自動でアップロードされる。写真を撮影したときに自動でアップロードもしてくれ、さらに日付や場所ごとに分類も可能だ。

App
Amazon Photos
作者／AMZN Mobile LLC
価格／無料

1 Amazon Photosを インストール

Amazon Photos を iPad で管理するには「Amazon Photos」をインストールしよう。自動的に iPad 内の写真がアップロードされる。起動後、メニューの「写真」で写真を管理できる。

2 自動アップロードの設定

自動アップロード設定をオフにする場合は、メニューの「その他」の「設定」から「アップロード」を開く。「自動保存」をオフにすればよい。ここではモバイルデータを使用して自動アップロードする設定なども行える。

106

Google
フォト

Googleフォト上の写真から
アルバムを作成して外部と共有する

Googleドライブと同じ共有機能が使える

Google フォトにアップロードした写真は、日時や撮影場所に基いて自動的にアルバム分類されるが、自分で好きなアルバム名を付けて写真を分類することもできる。メニューの「ライブラリ」からアルバムを作成しよう。また作成したアルバムは共有リンクから共有 URL を作成し、ほかの Google ユーザーや外部ユーザーと共有することができる。さらに共有状態にあるアルバムに外部ユーザーがアクセスして、自由に写真を追加することも可能だ。

1 アルバムを作成する

②「新しいアルバム」をタップ

①「ライブラリ」をタップ

下部メニューから「ライブラリ」を選択して、「新しいアルバム」をタップするとアルバムを作成できる。

2 アルバムを共有する

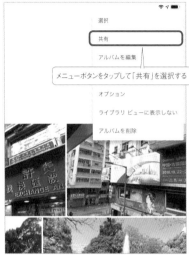

メニューボタンをタップして「共有」を選択する

アルバムを共有するには、アルバムを開いて右上のメニューボタンをタップして「共有」を選択する。共有方法選択画面が現れるので好きなものを選択しよう。

107

Google
フォト

Googleフォトをうまく併用して
iPadの空き容量を増やす

Googleフォトにアップした写真はiPadから削除してストレージを確保する

iPad の空き容量を増やす際に Google フォトの「空き容量を増やす」機能は便利。機能を有効にすると iPad のカメラロールに保存している写真と Google フォトにアップロードした写真を比較し、重複しているファイルを iPad 端末からまとめて削除することができる。iPad のストレージの空き容量を増やしたいときに便利だ。

なお、iCloud 写真を有効にしている場合は注意。削除を実行すると iCloud 上からも削除される。iCloud 写真をオフにしてから削除しよう。

1 iCloud写真を事前にオフにする

②「iCloud写真」をオフにしよう

①「写真」をタップ

ほかの iOS 端末と「写真」内の写真を同期している場合、「設定」の「写真」から「iCloud写真」をオフにしよう。

2 メニューから「空き容量を増やす」を選択しよう

タップ

右上のアカウントアイコンをタップして「フォトの設定」から「デバイスの空き容量の管理」で、Google フォトにバックアップ済みの写真を iPad から削除してくれる。

108

Amazon Photos

Amazon Photosで
アルバムを作成して共有する

好きなアルバム名を付けてアルバムを作成する

Amazon Photosにアップロードした写真から自分でアルバムを作成する場合は、下部メニューの「アルバム」タブを開こう。追加ボタンをタップしてアルバム名を入力し、写真を選択すれば完了となる。作成したアルバムは共有リンクを作成して、ほかのユーザーと簡単に共有することができる。アルバムをまるごと共有したり、アルバム内から指定したファイルのみだけ共有するなど方法は多彩。「ファミリーフォルダ」機能を使えば招待したユーザーのみアルバムを共有することが可能だ。

1 「アルバム」タブを開きアルバムを作成する

②「アルバムを作成」をタップする

①「アルバム」を選択する

下部メニューから「アルバム」を選択する。「アルバムを作成」をタップして、アルバム名を入力したあと、追加する写真を選択しよう。

2 アルバムを共有する

①メニューボタンをタップする

②「共有」をタップする

アルバムを共有する場合はアルバムを開き、右上のメニューボタンをタップし、「共有」を選択しよう。共有リンクを作成することができる。

写真

109

GIFアニメを「写真」で再生する

iOS 11から「写真」ではGIF形式のアニメーション画像を再生できる。Safariで保存したいGIF写真を見つけたら長押しして「写真」に保存しよう。「写真」アプリを開いて対象のGIFアニメを開くと再生することができる。保存したGIFアニメはこれまでの写真と同じく「共有」メニューからほかのアプリにコピーすることができるが、レタッチルーツやマークアップを使って編集することはできない。

長押しして「写真に追加」をタップ

Safariで GIFアニメを開いたら、長押しして「写真に追加」をタップで「写真」に保存する。

「写真」アプリを開いて保存したGIFアニメを開こう。きちんと再生できるはずだ。

写真

110

必要な写真のみをiPadに残す便利な方法

GoogleフォトやAmazon Photoにカメラロールに貯まった写真をバックアップするのもよいがパソコンにバックアップするユーザーも多いだろう。いつもiPadに必要な写真のみ残しておくなら「iフォトアルバム」を使おう。カメラロールから必要な写真のみ抽出して端末内に残すことができるアプリだ。

App

iフォトアルバム
作者／Naia Inc.
価格／無料

①タップ
②アルバム名を入力する

作成したアルバム

アプリを起動させたら、右上の追加ボタンをタップして新規アルバムを作成しよう。

①写真ボタンをタップする
②写真を選択する
③「インポート」をタップする

作成したアルバムを開き、右上の写真ボタンをタップして追加する写真を選択して「インポート」をタップしよう。

111

Apple
Pencil

写真レタッチ時のエッジ調整に
Apple Pencilが便利

画像合成に便利な Photoshop Mixと合わせて使おう

画面が大きくハイスペックの iPad の最大の特長は、別売りのスタイラスペン「Apple Pencil」の力を最大限に発揮できること。市販のスタイラスペンではなかなか実現できないきめ細かなペン操作ができるようになる。思い通りに円や線が描ける使い心地の良さは、あらゆる方面で高い評価を得ている。

しかし、実際のところ、描画アプリの多くはイラストレーターやデザイナーなど、一部の絵心のある人しか利用しないケースが多く、一般ユーザーにとっては、いまいち Apple Pencil を活用する場が見つからないのも事実。そんな人は写真レタッチに Apple Pencil を活用するのがおすすめ。Apple Pencil とあわせて利用したいアプリが「Photoshop Mix」だ。

Photoshop Mix は、iPad 上で画像の合成や補正を行うことができる写真レタッチアプリ。写真を取り込んで、簡単に合成することができることができ、画像内から Pencil でなぞって範囲選択した部分を切り出すことができる。

範囲選択する際は、通常、指やスタイラスペンを使ってエッジの調整を行うことになるが Apple Pencil を使えば細かなエッジ調整も簡単に行える。

App

Adobe Photoshop
Mix
作者／Adobe Systems, Inc.
価格／無料

2枚の写真を合成しよう

1 写真を追加する

Adobe Photoshop Mix を起動したら、まず合成に利用する写真を追加しよう。左の「＋」をタップして合成元の写真を追加しよう。

2 ほかの写真を追加する

一枚目の写真を追加したところ。ここでは風景写真を追加した。この風景写真に猫の写真を合成してみよう。右の「＋」をタップして合成したい写真を追加する。

3 レイヤーを選択して「選択範囲」をタップ

複数の写真（レイヤー）が重なった状態になる。切り抜きたいレイヤーを選択して、下部メニューから「選択して切り抜き」をタップ。

4 Apple Pencilで範囲設定

写真の中から合成に利用する部分を範囲選択する。Apple Pencil で切り抜く部分を なぞっていこう。Adobe Photoshop Mix の自動調整機能が働くので、少しなぞるだけできれいに範囲選択できる。最後に「完了」をタップ。

5 位置や大きさを調整する

このように周囲の余計な部分を削除して、綺麗に切り取れた。あとは指でレイヤーをドラッグして位置を設定したり、ピンチイン・アウト操作で大きさを調整しよう。

6 レイヤーを結合する

レイヤーを結合するには、右側にあるレイヤー結合したいレイヤーにドラッグ。メニューが現れたら「レイヤー上で結合」をタップしよう。結合される。

112

動画

iPadで簡単に動画編集するのに便利なアプリとは?

「写真」アプリ内蔵の編集ツールは使いやすく非常に多機能だ

iPadに標準搭載されている「写真」アプリは写真や動画を閲覧するだけでなく動画編集機能も備えている。以前は、指定したシーンをトリミングする程度しかできなかったが、現在はメニューが多彩になっており、写真編集時に利用可能なレタッチのほぼすべてが動画編集時にも利用できる。具体的にはスライダーを使って露出、ハイライト、シャドウ、コントラストなどの色彩調節が行える。普段、写真アプリのレタッチ機能を使っているのであれば、初めてでも迷うことなく動画編集ができるだろう。

また、トリミングや傾きの編集、左右の反転もできる。これによって間違えて縦で撮影してしまったときでもあとで簡単に横向きに変更できる。「16:9」や「4:3」など比率を指定して自動でトリミングもできるので、YouTubeなど動画サイトにアップしたいときにも役立つだろう。

本格的な動画編集を無料で行える「CapCut」もおすすめ

さらに本格的な動画編集をするなら無料の動画編集アプリ「CapCut」も併用してみよう。シンプルなインターフェースながら非常に多機能なのが特徴で、複数の動画を結合したり、動画内にテキストを挿入したり、バックグラウンドに好きな音声を追加することができる。ほかに、逆再生、速度変更、エフェクト、スタンプなども動画に追加できる。PCの動画編集ソフトよりも使い勝手がいいぐらいだ。

また、あらかじめ著作権問題をクリアした音楽などの素材も豊富に搭載されているので、YouTubeを通して一般公開したい動画を制作している人におすすめだ。

App

CapCut
作者:Bytedance Pte. Ltd
価格:無料　カテゴリ:写真/ビデオ

「写真」アプリで動画を編集する

1 動画から範囲選択して切り取る

範囲選択して特定のシーンを切り取る

「写真」アプリで動画を選択したら編集画面を開く。編集メニューが表示される。画面下部のオレンジ枠で動画から指定したシーンを切り取ることができる。

2 「調節」で色調を調節する

「調節」をタップ

項目を選択してスライダーで調節する

左メニューの調節ボタンをタップすると右側にさまざまなボタンが表示される。ここでは、露出、ハイライト、シャドウ、コントラストなど明るさや色調の調節ができる。

3 フィルタで色調を調節する

「フィルタ」をタップ

利用するフィルタを選択する

左メニューからフィルタボタンを選択すると右側にフィルタが表示される。フィルタを選択すると動画全体を簡単に雰囲気のある映像に変更できる。

4 グリッドツールを使う

「グリッドツール」をタップ

指でトリミングの範囲を設定する

動画の形を変更したい場合は、左メニューの一番下のグリッドツールボタンをタップ。四隅をドラッグしてトリミング範囲を設定しよう。

CapCutで動画を編集する

1 複数の動画を結合する

編集メニュー

タップしてほかの動画を追加する

CapCutで編集する動画を登録するとこのような画面が表示される。ほかの動画を結合させる場合は右にある追加ボタンから追加しよう。下部メニューでさまざまな編集ができる。

2 テロップを動画に追加する

左右にドラッグしてテロップの表示時間を調整する

ドラッグでテロップの位置を設定する

テロップ追加画面。追加したいテキストを入力したらドラッグ操作でテロップの表示位置を調整しよう。また下部メニューでテロップの表示時間も調整できる。

上級技
113
写真

iPadの画面を録画する
2つの方法

「画面収録」やMacの QuickTime Playerを 利用して録画する

iPadの画面をムービー形式で録画したい場合は、「画面収録」機能を使おう。画面収録機能はコントロールセンターから利用するプログラムで、録画開始ボタンをタップするだけですぐにiPadの画面を録画することができる。録画したムービーは「写真」アプリ内の「アルバム」の「ビデオ」フォルダに自動で保存される。また録画開始ボタンを長押ししてマイクを有効にすることでマイクを使って自分の声を収録することもできる。iPadの画面を利用したプレゼンテーション用動画やゲームの実況動画を作成するときは、マイク音声も一緒に収録しよう。なお、コントロールセンターの標準設定では画面収録機能はオフになっており、利用するには「設定」画面の「コントロールセンター」で機能を有効にしておく必要がある。

画面収録機能を使えば、手軽に録画できるものの、画面上部に収録中であることを示す赤い点滅が表示されたり、ロック画面では収録停止操作ができないなどいろいろ問題点もある。このような問題を解決する方法としては、Macユーザーであるなら標準搭載アプリの「QuickTime Player」を利用する手がある。Quick Time Playerは動画を再生するだけでなく録画する機能もあり、Lightningケーブルで接続されたiOSデバイスの画面もムービーでキャプチャすることが可能だ。キャプチャ時は音声の録音も可能。iPadデバイス内の音声か内蔵マイクで拾う音声か選択しよう。なお、USB-Cケーブルで接続されたiPad Proは現在、認識されずキャプチャできない。

画面収録を使ってiPadを録画する

1 コントロールセンターを カスタマイズする

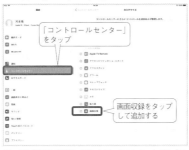

iPadの「設定」を開き、「コントロールセンター」から「コントロールをカスタマイズ」を開く。「画面収録」の追加ボタンをタップしてコントロールセンターに表示できるようにする。

2 コントロールセンターから 画面収録を起動する

iPad画面右上端を下へスワイプしてコントロールセンターを表示する。iPadの画面を録画するには画面収録ボタンをタップする。

3 録画中は赤い線が 表示される

3秒のカウントダウン後に録画が自動的に始まる。録画中はiPadの上端部分が赤く光る。録画を終了したいときは赤い部分をタップしよう。

4 画面収録確認ボタン で「停止」をタップ

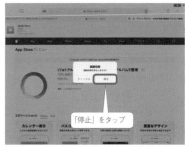

録画を終了するかどうかの確認ダイアログが表示される。「停止」をタップすると終了し、「写真」アプリの「アルバム」の「ビデオ」フォルダに動画が保存される。

MacのQuickTime Playerで録画する

1 「新規ムービー収録」を 選択する

iPadをLightningケーブルで接続したら、Quick Time Playerを起動。メニューの「ファイル」から「新規ムービー収録」を選択する。

2 iPadを録画設定にして 録画ボタンをクリック

録画ボタン横のメニューから「○○のiPad」にチェックを入れる。また録音する音声の設定をiPadの音声かマイクか指定する。最後に録画ボタンをクリックしよう。

114

YouTube

YouTubeの動画を
iPadに保存するには?

再生中のYoTube動画を高速でiPadにダウンロードする

電波の届かない圏外でお気に入りのYouTube動画を再生するには、事前にiPadに対象の動画を保存しておく必要がある。しかし、YouTube公式アプリやSafariには動画を保存する機能は用意されていない。端末に保存するにはダウンロードアプリの「動画保存」を使おう。

動画保存は写真や動画などのメディアを管理するためのアプリ。本来はiPadで撮影した動画をフォルダ分類したり、名前を変更するための管理アプリだが、YouTube動画をダウンロードする機能が搭載されている。指定したYouTubeの動画をタップ1つで端末に保存することができる便利な機能だ。

ダウンロードした動画は動画保存のフォルダ内に保存され、内蔵のプレイヤーで再生することができる。シャッフル再生ができるなどプレイヤーとしての機能も豊富で、プレイリスト機能を使って分割された複数の動画もスムーズに連続再生できる。

ブラウザ機能は搭載されていないため実際にダウンロードするには、事前にSafariなどのブラウザで対象の動画のURLをクリップボードにコピーしよう。コピー後、アプリにURLを貼り付ければダウンロードできる。

App

動画保存アプリ
作者:shinichi fukui
価格:無料

動画保存アプリを使ってYouTubeをダウンロードする

1 YouTubeのURLをコピーする

「共有」をタップ

「コピー」をタップ

SafariやほかのブラウザでYouTubeにアクセスし、ダウンロード対象の動画を開いたら共有メニューから「コピー」をタップしてURLをクリップボードにコピーする。

2 「動画保存」アプリを起動する

タップ

タップ

「動画保存」アプリを起動する。左下の「+」をタップしてメニューが表示されたら「URL貼り付け」をタップする。

3 URLを貼り付けて追加する

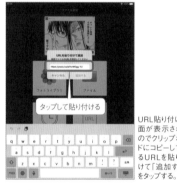

タップして貼り付ける

URL貼り付け画面が表示されるのでクリップボードにコピーしているURLを貼り付けて「追加する」をタップする。

4 ダウンロード設定を行う

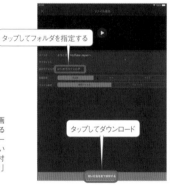

タップしてフォルダを指定する

タップしてダウンロード

ファイル追加画面が表示される。「保存先フォルダ」で保存先フォルダを指定する。画質、ファイル形式を指定して一番下のダウンロードボタンをタップ。

5 ダウンロード完了を待つ

タップ

ダウンロードが始まる。ダウンロード時は約30秒ほどの広告を視聴する必要がある。視聴後、「追加しました」と表示されたら「完了」ボタンをタップ。

6 ダウンロードフォルダを開く

タップ

ダウンロードした動画を再生するには下部メニュー真ん中のボタンをタップ。フォルダ画面が表示されダウンロードした動画を再生できる。

115

プレイヤー

あらゆる動画や音楽ファイルを再生できる万能プレイヤー

多くのクラウドサービスに接続してファイルを読み込める

「VLC for Mobile」 は PC で人気の多機能プレイヤー「VLC」の iPad 版。あらゆる動画ファイルや音楽ファイルを再生できるのが最大のメリット。再生できないファイルに遭遇したらとりあえずこのプレイヤーで再生してみよう。また、Dropbox をはじめ多くのクラウドサービスからファイルを直接読み込むことが可能だ。

App
VLC for Mobile
作者／VideoLAN
価格／無料

「クラウドサービス」をタップ

「ネットワーク」をタップ

1 メニュー画面を開いてファイルを選択

左上にあるアイコンをタップ。メニューが表示される。iTunes と iPad を接続して転送したファイルを再生するなら「すべてのファイル」からファイルを選択しよう。クラウドサービス上のファイルを読み込むなら「クラウドサービス」から。

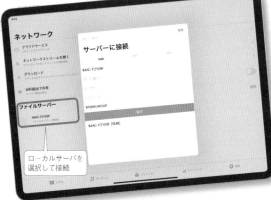

ローカルサーバを選択して接続

2 ローカルサーバのファイルを再生

VLC は Wi-Fi ネットワークに接続しているローカルサーバにアクセスしてファイルを再生することも可能。メニューの「ファイルサーバー」から接続しよう。

116

テレビ鑑賞

好みの無料ネットテレビを探し出そう

質の高いコンテンツの無料テレビもおすすめ

ネットで閲覧できる無料動画はYouTube など一般ユーザーが投稿したものだけでなく、テレビ視聴アプリをダウンロードすることで、大手民放が配信している番組を無料で閲覧することが可能だ。

NHK を閲覧したいなら「NHK＋」、映画やドラマ、アニメ、ニュースなどケーブルテレビのようなジャンルに特化した放送を見たいなら「ABEMA」や「GYAO!」、在京民放キー局5局で配信されているテレビ番組を無料で閲覧するなら「Tver」がおすすめだ。

App NHKプラス
作者:NHK
価格:無料

App TVer
作者:TVer INC.
価格:無料

App GYAO!
作者:Yahoo Japan Corp.
価格:無料

App ABEMA
作者:株式会社 AbemaTV
価格:無料

117

動画

iPadで手軽に楽しめる
オンデマンド動画配信

3大見放題サービスの コンテンツや金額を 比較しよう

「Hulu」「Netflix」「Amazonビデオ」など、定額で見放題のオンデマンド動画配信サービスが現在盛り上がっている。各サービスともiPad用の視聴ビューアを提供しており、Wi-Fi環境があればiPad上で手軽に動画を楽しめる。ただ複数のサービスと契約するのはコストがかかる。そこで3大見放題サービスを比較してみよう。

「Hulu」は月額933円の定額見放題サービス。無料視聴期間は2週間。もともとベーシックプランの画質は720pのHD画質だったが現在は1080pフルHD画質で視聴できるようになっている。有名ハリウッド映画・ドラマ、日本の有名映画やTVドラマなどのコンテンツに強いのが特徴なので、映画好きの人には断然おすすめだ。

「Netflix」は月額800円（ベーシックの場合）の定額見放題サービス。無料視聴期間は31日間。画質はSD画質だがiPadで視聴するのであれば、さほど違和感はない。国内外の有名映画やテレビドラマだけでなく、Netflixオリジナルの映画やドラマ、ドキュメンタリーなどとりそろえており、少しマニアックなコンテンツを楽しみたい人向きだ。

「Amazon プライム・ビデオ」は、Amazonプライム内の1コンテンツ。年間4,900円で多くの有名ハリウッド映画やドラマ、アニメなど幅広いコンテンツが楽しめる。料金比較すれば月額408円となり最もお得。さらに、無料配送特典やAmazonミュージックなど、さまざまな便利なオプションがついてくる。

3大オンデマンド動画をお試し視聴してみよう

1 Huluを 視聴する

Huluで視聴するにはまずクレジットカードや電子決済サービスの登録をする必要がある。登録後、2週間無料で視聴できる。コンテンツはおもに映画とドラマだ。

App

Hulu
作者／Hulu Japan, LLC
価格／無料

2 Netflixを 視聴する

Netflix ではアプリ内課金となる。無料体験で開始した場合、31日間無料で視聴できるが、メンバーシップを解約しないと毎月課金するので注意。

App

Netflix
作者／Netflix, Inc.
価格／無料

3 Amazon プライム・ビデオ を視聴する

すでに Amazon プライム会員であれば、アプリ起動後 Amazon アカウントにログインするだけで視聴可能。動画以外にもさまざまなオプションが楽しめる。

App

Amazon プライム・ビデオ
作者／AMZN Mobile LLC
価格／無料

point

メンバーシップ課金の 解除方法

Netflixをはじめメンバーシップ課金を解除する場合は、「設定」画面から「アカウント」→「サブスクリプション」で有効になっているサービスを解除しよう。

118

世界最大の音楽サービス「Spotify」で無料の音楽を楽しむ

無料プランでも楽しめるのがSpotifyの良さ!

世界で1億人のユーザーを誇るといわれる話題の音楽ストリーミングサービス「Spotify」。Apple Musicは無料期間が終了すると課金の必要があるが、Spotifyならば無料でも時折広告が表示されるものの、充分に音楽を楽しむことができる。また、スマホの場合はシャッフルプレイ専用となるが、iPadならば好きな曲のみを聴くことができるのも嬉しいポイントだ(ただし30日間で15時間までとなる)。

今回は無料プランに絞って解説しよう。好きなアーティストや曲名、ジャンルなどを選んでタップしていくとすぐに音楽が再生されるが、しばらく音楽を聴いていると15～30秒ほどの広告が入る。耐えられないほどの広告ではないが、違和感があるのは確かだ。また、動画の広告も存在していて、タップして動画を見るとその後30分間は広告なしで音楽を楽しめる。

それ以外は、音質もまずまず(標準音質=96kbps/秒)であり、自然に音楽を楽しめる構造になっている。好きなアーティストをお気に入りに入れたり、好きなプレイリストをフォローしたりしていけば快適な音楽再生環境となるだろう。

App

Spotify
作者／Spotify Ltd.
価格／無料　言語／日本語

無料プランで好きなアーティストの曲を楽しもう!

1 アカウントを登録する

アプリを立ち上げたら「新規登録(無料)」をタップしてアカウントを作成する。アプリ上で実名で登録することに問題がないなら「FACEBOOKでログイン」を選んでもOKだが、Eメールで登録の方が無難だ。メールアドレスの他、パスワード、ユーザー名(自分で設定する)などを入力しよう。あとは表示される条件に同意し、通知を受けるかどうかを選べば、すぐに音楽が聴ける状態になるだろう。

2 すぐに流行りの音楽を聴き始められる!

「Home」のトップから、おすすめのプレイリストやチャート、ニューリリースなど今、最も聴かれている音楽をすぐに聴くことができる。

3 無料プランは広告が表示される

数曲再生すると、15秒の音声広告が1～2本挟まれる。たまに表示される動画広告を再生すれば30分間は広告が再生されない状態になる。

4 多くのカテゴリから曲を選ぶことができる

アーティスト名で検索すると、アーティスト、アルバム、そのアーティスト関連のプレイリストなどが表示される。好きなカテゴリから曲を選ぼう。プレイリストにはさまざまなものがあり、中には24時間以上ある人気プレイリスト(Starbucks Coffeehouse Pop)も存在する。

119

Apple Music

月額980円で聴き放題の
Apple Musicを楽しもう

ライブラリに保存すれば
オフラインでも好きな曲を
視聴できる

「Apple Music」は月額980円で7000万曲以上が聴き放題のAppleが提供している音楽配信サービスだ。Apple MusicはiPadに標準搭載されている音楽ライブラリアプリ「ミュージック」アプリから利用することができる。初めて利用する人は3ヶ月間無料で視聴することができる。

使い方は簡単だ。検索フォームや「今すぐ聴く」「見つける」などのメニューから、視聴したい曲を探して曲名、またはアルバム名をタップしよう。インターネットに繋がっている環境ならすぐに視聴することができる。標準設定ではストリーミング形式で視聴することになるが、楽曲をダウンロードしてオフラインで視聴することもできる。iPadがWi-Fiモデルの場合や、外出先でiPadの通信のデータ量を使いたくない場合は、Wi-Fi環境時によく聴く楽曲をダウンロードしておけば、オフラインでも視聴できるのが嬉しい。

何度も視聴するようなお気に入りの曲は「ライブラリ」に追加することで、すぐにアクセスすることができ、またライブラリに追加した楽曲からプレイリストを作成することができる。なお「ミュージック」アプリはiTunesの機能も備えており、PCからiTunesでiPadに転送した楽曲を管理・視聴することができる。つまり音楽CDから自分でインポートした楽曲とApple Music上で配信されている楽曲を1つのライブラリ上で管理して楽しむことが可能だ。

Apple Musicで音楽を視聴しよう

1 Apple Musicの無料体験を開始する

「今すぐ聴く」や「見つける」を選択する

「聴き始める」をタップする

「ミュージック」アプリを起動する。Apple Music を利用するには左メニューから「今すぐ聴く」や「見つける」を選択する。次に表示される「聴き始める」を選択する。

2 Apple Musicから音楽を探す

タップ

Apple Music を開始したら聴きたい楽曲を探そう。「今すぐ聴く」ではユーザーに合った曲が表示される。「見つける」では新着ミュージックや注目トラックが表示される。

3 楽曲を再生したりライブラリに追加する

「再生」をタップしてストリーミング再生

「追加」をタップしてライブラリに追加する

楽曲を再生するには「再生」をタップする。ストリーミングで再生が始まる。ライブラリに楽曲を追加したい場合は「追加」ボタンをタップしよう。

4 ライブラリから登録した楽曲を視聴する

「アルバム」をタップ

メニューから「アルバム」をタップすると Apple Music 上でライブラリに追加した楽曲のカバーが一覧表示される。タップすると楽曲詳細画面に移動する。

5 iPadにダウンロードしてオフラインで再生する

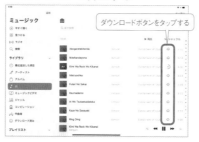

ダウンロードボタンをタップする

Apple Music の音楽をオフラインで視聴するにはライブラリ追加後、追加ボタンがダウンロードボタンに変化するのでタップする。すると iPad 端末にダウンロードして視聴できる。

6 ダウンロードした楽曲を削除する

「削除」をタップ

ライブラリから楽曲を削除する場合は、楽曲横の「…」をタップして「削除」を選択しよう。

※ Apple では、この秋より「Apple Music」「Apple TV+」「Apple Arcade」「iCloud の 50GB ストレージ」の 4 つを月 1,100 円で提供するサービス「Apple One」を開始している。

120

Apple Music

Apple Musicのプレイリストを
友達と共有する

SNSや連絡先にある友だちのプレイリストを視聴することもできる

Apple Music には「友だちのフォロー」という機能がある。設定を有効にすると自分のプレイリストや聴いている楽曲をほかの Apple Music ユーザーと共有できるようになる。共有するユーザーの公開範囲はすべてのユーザーもしくはフォローしているユーザーのみなど調整することが可能だ。また逆に「連絡先」アプリや Facebook や Instagram などの SNS でつながっている友だちが公開しているプレイリストを視聴することもできる。

1 共有設定を有効にする

共有設定を有効にするには「今すぐ聴く」画面を開き、右上のプロフィールアイコンをタップし、「友達が聴いている音楽をチェックする」をタップする。

2 公開プレイリストや共有範囲を設定する

友だちフォロー設定画面が表示される。フォローすると友だちや公開範囲設定、公開するプレイリストの選択をしよう。

上級技

121

Apple Music

Apple Musicで歌詞から楽曲検索する

Apple Music では検索ボックスに歌詞の一部を入力して、その歌詞に該当する楽曲を検索できる。歌詞の一部を検索ボックスに入力すると、その歌詞を含む曲やアルバムのほか関連のあるプレイリストやアーティスト名が一覧表示される。

以前は、日本語の歌詞には対応していなかったが 2019 年春以降日本語歌詞にも対応している。もちろん英語やほかの言語でも歌詞で楽曲を検索することが可能だ。

「検索」タブを開き上部の検索ボックスに歌詞の一部を入力する。

入力した歌詞を含む楽曲が一覧表示される。目的の楽曲をタップするとすぐに再生することができる。

122

Apple Music

Apple Musicで再生中の曲の歌詞を表示させる

Apple Music で再生中の楽曲の歌詞を表示させたい場合は、画面右下の再生バーをタップする。再生コントロール画面が拡大表示されるので、歌詞ボタンをタップしよう。歌詞を表示させることができる。

なお、この画面ではリピート

再生、シャッフル再生、Apple Music がおすすめする。プレイリストを自由に並び替えて再生する機能など、楽曲に関するさまざまな操作が行える。画面右上の「…」をタップすると操作メニューが表示される。

歌詞を表示させたり再生中の楽曲に対するさまざまな操作を行うには、画面右下の再生バーを一度タップする。

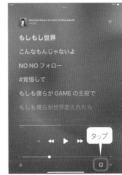

再生バーが拡大される。「歌詞」ボタンをタップしよう。歌詞を表示させることができる。

Section 04

ムービー再生

123 音楽や動画再生で スライダーを細かく操作

音楽や動画再生アプリで細かく再生位置を調整したい場合にぜひとも使いたいテクニックがこれだ。シークバーで、シークボタンをタップしたまま指を下にドラッグして左右へ動かす（スクラブする）ことで、より

詳細な位置の指定が可能になる。指の位置（天地の高さ）によって、高速→半分の速度→1/4の速度→細かく…と変えられるのだ。長時間の動画を見るときなどに重宝する。

シークバーをタップすると「スクラブ」と表示されるので、そのまま指を下にドラッグして調整スピードを変更しよう。画像では動画再生アプリ「VLC」を使っているが、アプリによってはこの機能は使用できない。

音楽再生

124 曲の再生箇所を追って 歌詞を表示するプレーヤー

流行っているJ-POPや邦楽はもちろん、洋楽にも対応した、リアルタイムで歌詞を表示してくれるプレーヤー。現在再生している箇所の色を変えてくれるのでカラオケの練習には最適だ。一部の洋楽など、再生箇所のデータがない場合は、テキスト

のみが表示される（これだけでも便利）。歌詞が見つからない場合は手動で検索する画面に切り替わる。歌詞のリクエストを送ることも可能だ。

歌詞の表示の行数や、ハイライトの色など細かく設定することができる。歌詞だけでなく、ランキングや音楽ニュースもゲットできる！

App

プチリリ
作者／SyncPower Corporation
価格／無料
言語／日本語

上級技

125 作曲 ものすごく簡単に作曲ができてしまう Apple純正の音楽作曲アプリ

ボイスレコーダーで録音したフレーズを簡単に編集できる

「Music Memos」はふと頭に浮かんだメロディやフレーズを録音するのに便利なアプリ。録音された音声を自動分析し、録音した音声に自動でベースやドラムを追加して再生できる。特にアコースティック・ギターやピアノ演奏の録音に向いている。さらに高度な編集機能も搭載しており、録音した音声のコードを編集したり、テンポを簡単に変更することが可能だ。

Music Memos
作者／Apple　価格／無料

1 中央のボタンをタップして録音

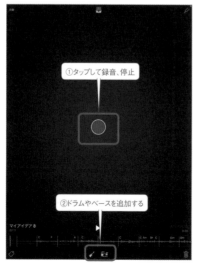

①タップして録音、停止
②ドラムやベースを追加する

起動したら中央にある丸いボタンをタップすると録音が始まる。もう一度タップで録音停止する。下にあるプレイヤーで再生できる。再生時にはドラムやベースの演奏を追加できる。

2 コードを編集する

録音後、各録音ファイルを開くとさまざまなメニューが表示される。コード編集画面で録音した音声のコードを自由に編集できる。

74

126

録音

録音レベルを調整できる
録音アプリ「HandyRecorder」

オートの録音レベルの音が苦手な人でもこれならOK!

ボイスメモをはじめとした録音アプリは、録音レベルがオートのものがほとんどだが、この「HandyRecorder」ならば、会議、音楽Live録音、自然の音を録るなど、自分の好きな録音レベルに細かく設定できる。小さ過ぎず、ピークでも割れないレベルに微調整して聴きやすいレベルで録音しよう。

App

HandyRecorder
作者／ZOOM Corporation
価格／無料
言語／英語

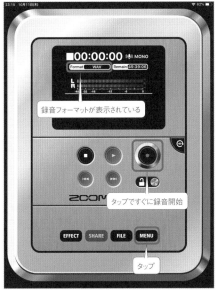

録音フォーマットが表示されている

タップですぐに録音開始

タップ

1 録音レベルを変更するには「MENU」を開く

起動直後の状態でも、赤の録音ボタンを押せばすぐ録音できるが、録音レベルを設定するには「MENU」をタップしよう。

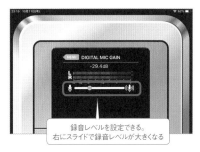

録音レベルを設定できる。右にスライドで録音レベルが大きくなる

2 「DIGITAL MIC GAIN」で録音レベルを設定

「MENU」→「DIGITAL MIC GAIN」で、バーをスライドさせて録音レベルを設定できる。なお基本的にiPadのマイクは本体上部の中央と背面の本体上部にあるので、そちらを対象に向けよう。

127

譜面

無料でTab譜を見られる
凄いサイト「Songsterr」

楽器演奏者なら絶対に知らないと損な超便利サイト!

何十万曲以上ものTAB譜を無料で閲覧できるサイトが「SongSterr」だ。ギターはもちろん、ベースやドラム譜もある。洋楽が中心だが、邦楽もわずかながら存在している。凄いのはTAB譜を見られるだけでなく、再生できる点だ。自分の練習したい曲を検索して、パートを選べば快適に楽器練習ができる!

App

SongSterr
作者／Guitar Tabs LLC
URL／https://www.songsterr.com/

ここをタップして検索

再生

1 アーティスト名／曲名で検索しよう

TAB譜を見たいアーティスト名や曲名を「Songs」をタップして選択しよう。メジャーな洋楽ならほぼ間違いなくヒットする。再生ボタンですぐに再生できる。

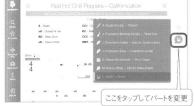

ここをタップしてパートを変更

2 見たい／聴きたいパートに変更する際は

右側の再生ボタン下の楽器のボタンをタップして表示／再生するパートを選択できる。なお、同名のアプリもあるが、基本月額課金がマストなので最初はWeb版で試すのがおすすめだ。ただ課金すればテンポのコントロールなども自由に行えるので本気でやりこみたい人は課金しよう。

128

音楽再生

YouTubeの音楽をプレイリスト化してバックグラウンド再生!

好きな曲をYouTubeから選んでバックグラウンド再生できる

YouTubeの公式PVなどの音楽動画を利用して、好きな音楽をiPadで楽しめるアプリ。検索してその楽曲を聴く通常の方法はもちろん、再生リストを作ってバックグラウンドで連続再生する使い方が非常に快適。会員登録すれば、他人のプレイリストを聴くこともできるがその辺りは慎重に判断しよう。

App

PartyTU
作者／TEC DIGITAL
TECHNOLOGY INC.
価格／無料　言語／日本語

1 検索して聴きたい曲を聴く

②検索ワードを入力

①ミュージックを選んでおく

③好きな曲をタップですぐに再生でき、再生画面でプレイリストに追加できる

画面下の「検索」タブで、検索キーワードを入力し、聴きたい曲をタップすればすぐに聴く(動画を再生)ことができる。

2 作成したプレイリストの曲を聴く

再生リストの名前

いずれかの曲をタップすることで連続再生できる

画面下の「再生リスト」で作成したプレイリストの曲を聴ける。アプリを閉じても、スリープ状態でもバックグラウンド再生が可能だ。

129

楽器練習

好きな曲のコード進行を表示し、ギターやピアノで弾く

テンポやキーも変えられるので練習しやすい!

iPad内にある音楽ファイルを再生すると、コード進行を表示してくれるギター&鍵盤練習用アプリ。曲のテンポやキーの変更ができ、特定部分のリピート、メロディの消去、カポの設定までできて無料なのだから凄い。楽曲のインポート方法が少ない点だけが残念だ。

App

Chord Tracker
作者／Yamaha Corporation
価格／無料
言語／日本語

曲を選んでタップすればコード解析を開始

設定に移る。DropboXへの接続もこちらから

1 iPad内の音楽ファイルが表示される

起動するとiPad内の音楽ファイルが読み込まれる。8曲のデモソングも収録されている。Dropboxから楽曲を読み込むこともできる。

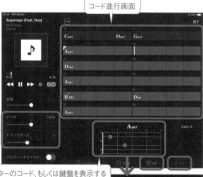

コード進行画面

テンポやキーを設定する

ギターのコード、もしくは鍵盤を表示する

2 コード進行が表示される

コード解析が進み、すぐにコード進行が表示される。もちろん楽曲の再生も可能。テンポやトランスポーズで練習しやすい設定にしよう。

130
エンターテイメント

タイムフリーが超便利!
Radikoでラジオを楽しみまくる!

過去一週間以内の放送はいつでも視聴できる!

　地上波のラジオ放送をクリーンに視聴できる人気アプリ「Radiko」は、iPhoneアプリであるがiPadでも問題なく利用できる。リアルタイムでのラジオ放送の聴取は簡単で、画面の上部の「ライブ」タブを選ぶと現在放送中の番組が表示されるので、好きなものを選べば再生される。好きな番組の放送直前に通知してくれる「マイリスト」機能も便利だ。

　そして、過去1週間以内に放送された番組であれば、いつでも視聴できる「タイムフリー」機能が非常に便利だ。再生を開始してから24時間以内であれば、合計で3時間まで聴くことができる。一時停止や巻き戻し、早送りも可能なのでリアルタイムより効率よく聴くことができる。好きなタレントがゲスト出演すると知りながら仕事中に聴くことができなかったり、録音アプリなどを使うのが面倒な人はぜひ使ってみよう。

　注意すべき点として、このアプリは配信エリアを判定するために、起動時には位置情報が必要になる。また、便利機能としては、指定時間の経過後に音声をオフにしてくれるオフタイマーや、番組のレコメンド機能などもとても役立つ。なお、スポーツ中継など一部聴取できない番組もあるので注意。

App
Radiko
作者／radiko Co.,Ltd.
価格／無料

Radikoの便利な機能を使ってみよう!

1 リアルタイムで放送を聴く

レコメンド機能はここから

聴きたい番組をタップする

起動して、位置情報をOKするとすぐにリアルタイム視聴が可能になる。聴きたい番組をタップしよう。

2 すぐに番組が再生される

タップで番組情報が見られる

すぐにバッファが完了し、ラジオ再生が始まる。番組情報を見るには「番組紹介」をタップしよう。

3 タイムフリーを聴くには?

③タップ

②聴きたい局をタップ

①タップ

下部のタブの「タイムフリー」をタップしよう。次に上部のタブで聴きたい放送局を選び、日付の部分をタップする。

4 聴きたい番組のあった日付を選ぶ

	2020/9/17(木)
✓	2020/9/18(金)
	2020/9/19(土)
	2020/9/20(日)
	2020/9/21(月)
	2020/9/22(火)
	2020/9/23(水)
	2020/9/24(木)
	2020/9/25(金)

過去一週間の日付が表示されるので、聴きたい番組のあった日付を選び、スクロールさせて番組をタップすれば視聴できる。

5 オフタイマーは右上のメニューから

同じ設定を繰り返すことも可能!

右上のメニューから「オフタイマー」を選ぶと、再生停止時間が設定できる。15分〜120分の間で設定できる。

6 エリアフリーなら全国の放送が!

エリアを選ぶ：東京都

現在地 (東京都)

エリアフリーとは?

ラジコプレミアム会員になると、日本全国のラジオ局が聴き放題になります!

このアプリは前述の通り位置情報を必要とするが、月額350円（税抜）を支払うことで日本全国のラジオが聴き放題になる。

131 時計
アラームに好きな曲を使おう

毎日のように寝る前にベッドサイドでiPadを使う人は多いはず。それならば、目覚ましにもiPadを使えば快適なはずだ。iPadではアラームに音楽を使えるので、どうせなら好きな曲を設定して使いたいところ。標

準の「時計」アプリの「アラーム」タブで、アラームを鳴らす時間や曜日、曲やスヌーズ設定をセットして使ってみよう。アラームは複数登録できるので、土日のパターンや変則的なパターンも登録できて便利だ。

新たにアラームを作りたい場合は「＋」をタップ

サウンドを選択

「時計」アプリを起動したら、画面下の「アラーム」を選択。左上の「編集」をタップしてサウンドを設定したいアラームの「サウンド」をタップ。

サウンド選択画面が現れる。「ミュージック」内にある音楽ファイルを指定することもできる。

132 音感養成
ゲーム感覚で手軽に絶対音感を身につけよう

絶対音感や相対音感を養成するアプリ。同時に鳴る2つの和音を聞いたら、画面上で指をスライドさせて正解の和音の場所を指定しよう。かなり難しいが、楽しく音程を身につけることができる。カラオケが上手くなりたい人などにおすすめ！

App

音感トレーニング
Harmonize
作者／Toshihiko Arai
価格／無料

指を上下にスライドして音程を合わせる

音程を合わせたらタップ

11の重音のメニューが用意されており、各メニューをタップするとステージが表示される。最初のステージを攻略すると次のステージが利用できるゲーム的なシステムだ。

遊び方は簡単。左下の緑のボタンを押すと和音が鳴るので、その和音の音程に合うように指を上下にスライドさせて響きを合わせる。最後に「GO」をタップ。

133 音楽再生
SoundCloudで快適に最新の音楽を聴きまくる!

経営難などの話もあるが、今でも大人気の音楽共有サイト「SoundCloud」は健在。世界中のアーティスト、DJ らが最新の楽曲を日々共有している。無料で最新の楽曲を楽しめる。バックグラウンド再生も可能。

App

SoundCloud
作者／SoundCloud Ltd.
価格／無料　言語／英語

リンクのコピーやシェアができる

いいねをつけたり、プレイリスト追加、リポストなどが可能

アプリを起動したら「Stream」で、自分のフォローしたアーティストの更新をチェックできる。洋楽も邦楽も本当に充実している。

アーティストのPlaylist画面。楽曲を聴く以外にも、いいねをつけてお気に入りに入れたり、シェアしたりすることが可能だ。

134 Podcast
iPad単体でPodcastを購読して楽しもう

Podcastとは、iPadやiPhoneなどで、ラジオを聴くようにさまざまな放送が楽しめるアプリだ。人気ラジオ番組のPodcast版が楽しめるのはもちろん、語学やニュース、思想、哲学などまで、多彩な番組が楽しめる。

App

Podcast
作者／Apple
価格／無料　言語／日本語

進む／戻るボタンは、10・15・30・45・60秒から選ぶことができる（設定アプリで変更）。

Podcastは可変速再生にも対応（0.5〜2倍）。忙しい時のニュースチェックや語学番組にも便利な機能。「見つける」や「検索」から新しい番組を追加購読しよう。

仕事効率化

豊富なOffice編集ツールやPDF関連ツール、
進歩の凄まじい手書きアプリ、そして今や仕事になくては
ならない各種クラウドツールの使い方を徹底的に解説!

135　キーボード　文字入力を極めたい人に おすすめのキーボードはこれ!

カスタマイズ項目が 膨大にあり自分好み の設定にできる

フリック入力に慣れているため、iPadのキーボード入力に慣れない人は「片手キーボードPRO」を使おう。カスタマイズ性が非常に高い片手キーボードアプリで、片手でフリック入力ができるほかキーボード表示領域であれば、自由に配置できる。ほかにもキーボードを好きな配色に変更したり、サブキーボードに好きな記号を登録することが可能だ。

App

片手キーボードPRO
作者／TAWASHI KAMEMUSHI
価格／490円

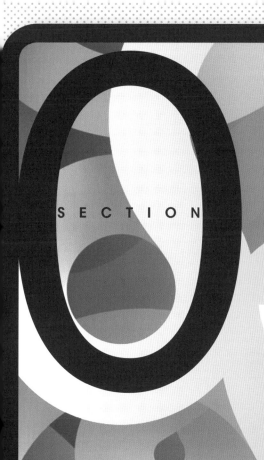

タップ

ドラッグで調節する

1 キーボードの 大きさや位置を調節する

片手キーボードPROを起動したら上部メニュー真ん中のボタンをタップ。キーボード四隅に青枠が表れたらそれをドラッグして大きさを調節しよう。

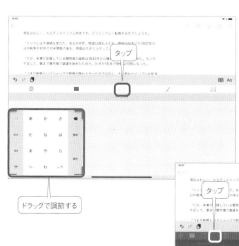

タップ

キーボードのカラーを選択する

2 カラーをカスタマイズする

上部メニュー右から2番目のペンボタンをタップするとカラーパネルが表示される。選択したカラーがキーボードに反映される。

136 クリップボード
MacやiOS間でテキストを簡単に共有する

iCloud経由でクリップボードを共有できる

MacやiPhoneとクリップボードを共有をするなら、「ユニバーサルクリップボード」機能を有効にしよう。同じApple IDでiCloudにログインしているだけで、MacやiPhoneのクリップボードに保存し た内容をiPad上で即座にコピーして利用することができる。テキストだけでなく画像やムービーなどにも対応している。

なお、この機能を利用するにはHandoff、Bluetooth、Wi-Fiを有効にし、またiOS 10以上の端末、Macは2012年製以降である必要がある。

各種設定条件を整えてMac上のテキストをコピー

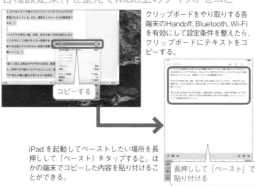

コピーする

クリップボードをやり取りする各端末のHandoff、Bluetooth、Wi-Fiを有効にして設定条件を整えたら、クリップボードにテキストをコピーする。

iPadを起動してペーストしたい場所を長押しして「ペースト」をタップすると。ほかの端末でコピーした内容を貼り付けることができる。

長押しして「ペースト」で貼り付ける

137 テキストエディタ
縦書きで原稿作成ができる

「縦式」はシンプルな縦書きのテキストエディタ。400字詰めの原稿用紙と同じ体裁でテキスト入力することができ、ルビ、傍点、縦中横、見出し、改ページ、センター寄せに対応している。作成したテキストはPDF形式で出力でき、A4、B5など原稿用紙の大きさに合わせて印刷することもできる。

App

縦式
作者:Kazuyuki Mitsui
価格:無料

タップ

範囲選択してタップする

ルビ、傍点、縦中横などの設定を利用するには対象のテキストを範囲選択してタップしよう。メニューから適切なものを選択する。

作成したテキストを出力する場合は右上の共有ボタンをタップ。ファイル形式、用紙などを設定しよう。

138 手書き
手書きしたメモをテキスト変換できるノートアプリ

講義ノートや手書きした内容をテキスト管理するのに便利

Neboは、手書きした内容を素早くテキスト形式に変換できるノートアプリ。書いた文字をダブルタップするだけでテキストに変換することができ、さらにダブルタップすると元の手書き文字に戻して、再編集することができる。手書きでメモしたあとに、PC上でテキストデータとして管理したいときに便利だ。

App

Nebo
作者／MyScript
価格／無料
カテゴリ／仕事効率化

手書きメモを作成した後、テキストデータに変換したい部分をタップ

2 手書きしたメモを変換する

手書きした部分がテキスト形式に変換される。変換したテキスト外部へエクスポートするには、右上の「…」から「エクスポート」を選択しよう。

1 手書きしたメモを変換する

手書きメモを作成したあと、テキストデータに変換したい行をダブルタップ、もしくはタップして右にある「…」から「変換」を選択しよう。

大学の講義ではPCを使ったメモを禁止されていることが多い。
そんなときに便利なのがこのアプリ。手書きアプリだが、テキスト形式に変換することができる

139

文字入力 **文字入力を快適にするテクニック**

知っていると大きな差が付く文字入力Tips

iPadの操作の中でも、大きなウエイトを占めているのがキーボードを使った文字入力。アプリの文字入力エリアをタップすると画面上にキーボードが表示され、キーをタップして文字を入力していくが、通常の操作ではなかなか気が付かない、便利な機能が数多く用意されている。

特にキーボード種別のカスタマイズは、iPadをセットアップする際に同時に設定しておきたいポイント。標準では50音の日本語かなや絵文字キーボードが組み込まれているが、使用しない場合はこれを削除しておけば、キーボードを切り替える時の手間が軽減され、文字入力が効率的になる。もちろん、削除したキーボードは後で追加することもできるし、他言語のキーボードを利用する場合はそれを追加してもいい。

また、英語キーボードであれば、予測変換や自動修正（スペルチェック）といった入力支援機能が使えたり、文頭を自動的に大文字にしてくれる。これらの機能は、設定の「一般」→「キーボード」から、機能をオン／オフできる。iPadで文書作成や編集作業などを考えているなら、これらも事前に見直そう。

ここで紹介するものの他にも、本書20ページで紹介した「キーボードを切り替えずに文字を入力する方法」や、28ページの「キーボードを固定したフリック入力」も参考にカスタマイズしていこう。。

知っているとお得な文字入力の便利機能

1 キーボードを素早く切替える

日本語や英数キーボードを素早く切替えるには、キーボード切り替えボタンを長押ししてみよう。キーボードの種類がポップアップする。

2 音声で文字を入力する

キーボード切り替えボタン横にあるマイクのアイコンのボタンをタップすると、音声入力で文字を入力できる。精度はかなり高いので、静かな場所であれば正確に文字を入力できる。

4 キーボードに無い文字を入力

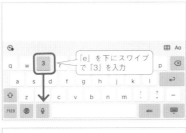

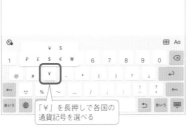

キーをロングタップすることで、キートップには表示されていない記号や文字を入力することができる。たとえば、英数キーボードの「¥」を長押しすると、ユーロやポンドといった世界の主要通貨記号が入力できる。

3 使わないキーボードを削除する

「設定」→「一般」→「キーボード」→「キーボード」を開き「編集」をタップ。削除したいキーボードの削除アイコンをタップして不要なキーボードを削除すれば、入力時にキーボードを切り換えるときもスムースになる。

5 スペルチェックと予測機能

スペルチェック機能（「設定」→「一般」→「キーボード」→「スペルチェック」）オンにすると、英文入力時に自動的にスペルミスを修正する。また、「予測」をオンにすれば、英単語の予測変換機能が利用できる。

6 iPadでフリック入力する

iPadでもフリック入力が利用できる。キーボードを「日本語かな」に切り替えたら、キーボードアイコンをロングタップして「分割」をタップしてみよう。

140

多機能メモ

便利な多機能エディタ 「Bear」を使う

タグを付けてメモを管理 HTML風記述も可能で ブロガーにもおすすめ

標準の「メモ」も優秀だが、ブログやSNSに慣れた人は、「Bear」が便利。HTML風での記述が可能で、写真や手書き画像の挿入も可能だ。また、メモ内に「#」でタグを付けるとタグでの管理ができるという特徴もある。たくさんのメモから特定ジャンルのメモを探し出すことも簡単で、SNSとメモのいいとこどりだ。

App

Bear
作者／Shiny Frog Ltd.
価格／無料
カテゴリ／仕事効率化

1 メモでHTML風記述が 行なえる

HTML風なマークダウン記述が可能。ブログ執筆に近い感覚

ヘッダーを設定したり、文字装飾やリンクを挿入するといったドキュメントや、HIML風の記述が行なえる

2 「#タグ」でメモを管理

#でタグを加える

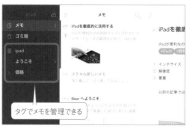

タグでメモを管理できる

「#」ボタンで、キーワードをタグで囲むことで、メモ内容をタグ付けして管理できる。SNSのような管理方法が便利

141

カレンダー

標準カレンダーより 便利なカレンダーアプリ!

見やすい表示と 直感的操作が魅力の カレンダーアプリ

シンプルなインターフェイスと、直感的な操作でスケジュールを管理できるカレンダーアプリ。iPad上のすべてのカレンダーに加え、Googleカレンダーのアカウントを独自に追加できる。ドラッグ操作による日時の変更など、ストレスなく使える操作性が最大の特徴だ。

App

Calendars by Readdle
作者／Readdle
カテゴリ／仕事効率化
価格／無料

1 直感的に使える インターフェイス

表示カレンダー切り替え

表示形式を切り替え

タップで詳細を表示、ドラッグで移動

設定ボタン

カレンダーのインターフェイスはシンプル。設定でイベントの表示形式をカスタマイズできる。イベントをドラッグして自由に移動できるのも大きな特徴。

2 カレンダー長押しで 新規イベントを作成

有料版ではTo-DOやリマインダー、招待設定などさらに管理向けの機能が利用できる

Zoomなどのビデオ会議ツールとの連携も可能

イベントを追加したい日時を長押しすると、新規イベント作成画面に。繰り返し設定や、位置情報の追加も可能。アラームを設定すると、通知して知らせてくれる。

142

タスク管理

ボードでタスク管理できる
「Trello」を使おう

ホワイトボードのように
タスクを「貼って」管理
視認性抜群の管理術

タスク管理をビジュアル的に行なえるのが「Trello」だ。タスクのジャンルを「ボード」という単位で作成し、その中にタスクのリストを作成、タスクは「カード」で作成する。感覚的には、タスクのジャンルごとにホワイトボードを作り、そこに付箋やメモでタスクを貼っていくという方式だ。

App

Trello
作者／Trello, Inc.
価格／無料
カテゴリ／ビジネス

1 ボードにタスクの
ジャンルを追加する

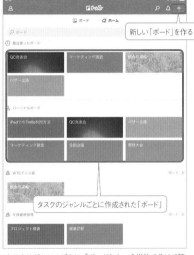

新しい「ボード」を作る

タスクのジャンルごとに作成された「ボード」

タスクはジャンルごとに「ボード」という単位で分けて管理される。

2 ボード内にタスクを
貼り付けていく

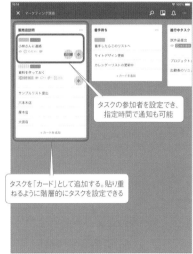

タスクの参加者を設定でき、指定時間で通知も可能

タスクを「カード」として追加する。貼り重ねるように階層的にタスクを設定できる

タスクの内容は「カード」という単位で作成する。カテゴリを作成し、その下に階層的にタスクの内容を追加していく。

143

カレンダー

ページ分割されない、
便利なカレンダーアプリ

月ごとにの
ページ分割なし!
直感的に利用可能

カレンダーアプリの多くは月ごとにページが変わったり、月の変更時に余白が表示されるなど、「月」の区切りを意識したデザイン。しかし「くるまきカレンダーHD」は、月を背景色の違いで区切ることで、ページ分割を廃止している。おかげで、月またぎ案件でも予定が見やすく、直感的に確認できる。

App

くるまきカレンダーHD
作者／LITTLEN STAR Inc.
価格／370円

1 月をまたいでも
スクロールして予定を確認

予定の追加

設定画面を表示

月またぎ案件なども確認しやすい

月ごとのページ分割がなく、月をまたいだ予定なども、縦スクロールだけで素早く確認することができる。非常に直感的に使えるカレンダーだ。

2 iOS標準カレンダーと同期可能

同期するiOSのカレンダーを選択できる

「設定」ボタンから「カレンダー選択」を選ぶと、同期するカレンダーを選択できる。iOSのカレンダーと標準で同期できるのは便利だ。

144

Split View

効率アップできるSplit Viewの組み合わせ例はこれ

自分の趣味に応じてアプリの組み合わせを探そう

Split Viewを使えばiPadの画面を分割して2つのアプリを並行利用できるが、どのアプリを組み合わせればよいかわからな

いユーザーも多いはず。筆者の場合、最もよくSplit Viewを利用する組み合わせは電子書籍アプリとノートアプリだ。電子書籍の内容を手書きでまとめたいときや模写したいときに役立つ。絵描きの場合は写真とグラフィックアプリの組み合わせがベスト

だろう。また、iPadOS 13からSplit Viewでは同じアプリを並列起動できるようになっている。Safariを2つ起動して類似ニュース記事を比較したり、エディタアプリを起動して2つのテキストを比較したりするときに便利だ。

1 電子書籍+ノートアプリ

電子書籍の内容をハイライトではなく、手書きで自由にまとめたいときはノートアプリと併用すると便利。語学などで書き写しするときにも使える。

2 動画+SNS

YouTubeやNetflixなどの動画サービスを見ながらTwitterのタイムラインをちら見したり、実況動画を見ながら対象動画のハッシュタクを追ったりするときにも便利。

3 Safari+Safari

見出しは異なるが内容は同じようなニュース記事内容を比較したいときはSafariを2つ起動して比較しよう。

145

スクリーンショット

スクリーンショットを撮り即座に注釈を入れて送信する

マークアップツールで画像に注釈を入れて保存する

iPadでは電源ボタンとホームボタンを同時に押したときに働くスクリーンショットを撮影できる。撮影したスクリーンショットは即座に手書きの注釈を入れることが可能だ。注釈には「メモ」アプリや「写真」アプリに付属するマークアップツールと同じものを利用するため、投げ縄ツールを使ってメモ内容を自由に編集したり、ペンのカラーや種類を変更することができる。注釈を入れたスクリーンショット画像はiPad内に保存できるほか、さまざまなアプリと共有することが可能だ。

1 スクリーンショット撮影後にマークアップ画面へ

ペンツールを使って手書きで注釈を入れる

スクリーンショット撮影後、左下端に表示される画像をタップするとマークアップツールが起動する。ペンを選択して直接手書き注釈を行おう。

2 注釈を入れた画像を共有する

保存先や共有先アプリを選択する

マークアップ画面で右上の共有ボタンをタップすると注釈を入れた画像を保存したり、ほかのアプリに共有することができる。

146

ショートカット

新しい標準アプリ「ショートカット」とは どんなツール?

よく行う iPad操作を タップ1つで行う

「ショートカット」はさまざまなアプリ動作をひとつにまとめることができるアプリ。iPadOS 13から標準でホーム画面に追加されている。特定のアプリ操作を実行するためいくつもタップしていた作業を省略できるのが特徴だ。たとえば、SNSのアプリを起動することなくショートカットからタップ1つで投稿作成画面を起動し、投稿することができる。なお、ショートカットは自分で動作を選択して設定を作るほか、iPadが自動的にショートカットを作成して提案してくれる。

1 ショートカットを作成する

ホーム画面からショートカットを起動したら上の「+」から自分でショートカットを作成しよう。作成したショートカットは「マイショートカット」画面に登録され、タップすると実行できる。

2 アプリと動作を指定する

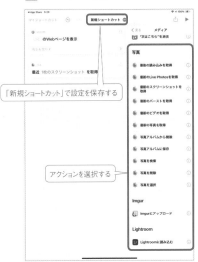

ショートカットの作成は簡単。インストールされているアプリを指定すると自動的にショートカット可能なアクションが表示されるので利用するものを選択して「新規ショートカット」から保存する。

---

147 ショートカット
ショートカットの おすすめメニューはこれ

ショートカットメニューはあらかじめiPad内にたくさん用意されているが、数が多くどれを選べばよいか悩むユーザーもいるだろう。ショートカットメニューから「ギャラリー」を開こう。「お使いのAppからショートカット」でiPadにインストールされたアプリからユーザーがよく利用しそうなアプリ操作を

提案してくれる。適当なものを選択して続いて表示される「ショートカットを追加」をタップすれば「マイショートカット」に設定を追加できる。

また、「必須ショートカット」項目では「PDFを作成」や「プレイリストを作成」など誰もが使うアプリ操作のショートカットを提示してくれる。

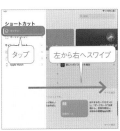

おすすめのショートカットを探すには左から右にスワイプして「ギャラリー」をタップする。人気ショートカットが一覧表示される。

ショートカット追加画面が表示される。「ショートカットを追加」をタップすると「マイショートカット」に登録される。

---

148 ショートカット
ショートカットを ホーム画面から素早く起動

「ショートカット」は目的のアプリの操作をスムーズに行うためのものだが、毎回「ショートカット」アプリを起動しないとならず標準では意外と使いづらい。そこで、よく使うショートカットはホーム画面に設置しよう。「ショートカット」で作成した設定はホーム画面から起動させることがで

きる。ほかのアプリと同じくDockにも追加することができるので、よく使うショートカットは画面下から引出して素早く目的のショートカットを起動できる。また、好きな名前に変更したり、ほかのアプリと1つのフォルダにまとめることも可能だ。

ショートカット一覧画面からホーム画面に追加したいショートカットの右上のメニューボタンをタップする。

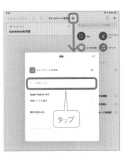

次に中央上の「…」をタップして「ホーム画面に追加」をタップすればショートカットがホーム画面に追加される。

149

Office

10.2インチ未満のiPadユーザーなら必携!
無料で使えるMicrosoft純正Office

無料ユーザーでも基本的な編集や新規作成が可能!

ビジネスでマイクロソフトOfficeを利用しているなら、iPadにもぜひ純正のOfficeアプリを用意しておきたい。PC・Mac版と比べると機能こそ限定されるものの、高い互換性を保ったままOfficeドキュメントを気軽に展開・編集することができる。

なお、ドキュメントの閲覧だけならMicrosoftアカウントを登録するだけで利用できるが、10.1インチ以上のiPadで編集を行いたい場合は、Office 365のサブスクリプションが必要となる点に注意。現在利用しているOfficeのライセンスをチェックしてみよう。

App

Microsoft Excel
作者／Microsoft Corporation
カテゴリ／仕事効率化
価格／無料

Microsoft Word
作者／Microsoft Corporation
カテゴリ／仕事効率化
価格／無料

Microsoft PowerPoint
作者Microsoft Corporation
カテゴリ／仕事効率化
価格／無料

オフィス文書を正確に表示できる純正アプリ!

1 iPad本体のファイルやクラウドに対応

「開く」をタップ。iPadに転送したオフィス文書を開ける他、「ストレージアカウントの追加」からOneDrive、Dropboxなどと連携してクラウド上のファイルを直接開ける。基本的なインターフェイスは3アプリ共通。

2 10.2インチ未満のiPadなら基本的な編集ができる

10.2インチ未満のiPad（9.7インチiPadやiPad miniなど）なら商用とみなされないため、無料で基本的なファイルの作成や編集ができる。

3 ファイルメニューと共有メニューを活用

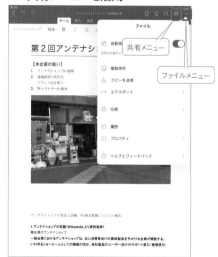

編集画面のファイルメニューをタップして、自動保存やファイルの複製、名称変更などの設定ができるほか、共有メニューからファイルをメールで送信して活用できる。

4 豊富なテンプレートが用意されている

「新規」をタップすると、各アプリに内蔵されている豊富なテンプレートを選択してドキュメントを作成できる（アカウントの登録が必要）。

150

Office   Officeアプリでは手書きも使える

フリーハンドで
ドキュメント内に
手書きを挿入可能

Microsoft Office アプリは
「描画」タブからペンツールや
ラインマーカーツールを使って、
手書きの文字やイラストを挿入
することができる。ペン先の種
類をはじめ、インクの種類も実
に多彩で、TPO に合わせて利
用していけば注釈を入れる際に
役立ち、また書類の注目度も上
げられる。

また、Apple Pencil 対応モ
デルであれば、Apple Pencil
を画面に当てるだけで描画モー
ドへと素早く切り替わる。iPad Pro ユーザーはぜひ活用
してみよう。

1 「描画」タブから
ペンを選択

ペン先の太さ、カラーを変えられる

手書き入力を行なうには「描画」タブを開き、ペンを選択。
「∨」をタップすると太さやカラーを変更できる。

2 タッチや
Apple Pencilで入力する

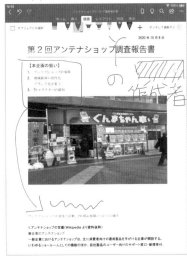

画面にタッチで自由にイラストや注釈を加えられる。書類
の内容に合わせて利用してみよう。

151

共同編集   複数人で共同して書類を
作成・編集するには

Googleドライブの
共有機能を活用して
文書を共同編集する

グループワークなどで、他
人と共同で文書や表計算ド
キュメントを編集したい場合は、
「Googleドライブ」が便利。定
番のGoogleアカウントでファ
イルを共有し、共同編集するこ
とができる。なお、Microsoftの
サービスでも同様の共有機能
が使えるので（88ページで解
説）、使いやすい方を選ぼう。

App

Google ドライブ
作者／Google, Inc.
価格／無料　言語／日本語

1 他ユーザーへファイルを
共有する

① 共同編集するユーザーのGmailアドレスを登録

② 編集権限を設定

③ メッセージを添えて共有を通知する

ファイルの右上にあるメニューボタンから「共有」をタッ
プ。相手・権限を指定してメッセージを添えて共有に誘お
う。

2 共有されたドキュメント
を編集

タップして共有ファイルを開く

共有したファイルは、「共有中」タブからアクセスできる。
ファイルをタップして、複数ユーザーで同じドキュメント
を編集することができる。

152 Office ビジネスで文書を共有・編集するなら OneDriveがベスト!

安心してファイルを編集できるOfficeとの連携力!

OneDriveはMicrosoftが提供しているオンラインストレージサービス。利用するには無料の「Microsoftアカウント」を取得すればOK。5GBのストレージを利用することができる。また、「Office 365」を利用しているユーザーであれば、契約しているプランに応じてオンラインストレージの容量も拡張される（1TB〜）のも魅力だ。

OneDriveの利点は多々あるが、なんといってもOffice系アプリとの連携力は強力だ。ワードやエクセルなどのOfficeアプリの保存場所として指定でき、特定のユーザーを招待しての共同編集も可能。Webアプリを使って、OfficeやMicrosoftアカウントを導入していないユーザーともファイルを共同編集できるのも便利だ。こうしたWebを通じた編集機能はGoogleドライブやiWork（iCloud）でも利用できるが、OneDriveはMicrosoft純正というところがポイント。WebアプリをPC・Mac版のOfficeアプリとの互換性が高く、デザインのズレやエラーも起こりづらく、安心して利用できる。Googleサービスは利用しているユーザーも多くて人気だが、ビジネスでOffice文書を共有・やり取りするのであれば、OneDriveを選ぶほうが無難だ。

App

Microsoft OneDrive
作者／Microsoft Corporation
カテゴリ／仕事効率化
価格／無料

Officeとシームレスに連携するクラウドサービス

1 同期されたファイルにアクセスする

表示切替

タップしてファイルを参照

マイクロソフトアカウントを取得・登録すれば、パソコンから同期したファイルが表示されiPadで利用できる。右上のメニューボタンをタップして、ファイルの選択やフォルダ作成などが可能。

2 純正オフィスアプリとスムーズに連携

書類に対応するオフィスアプリ。タップするとそのアプリで編集できる

OneDriveに同期されたオフィスファイルをタップすると、ファイルのプレビューが表示される。画面上部のアプリアイコンをタップすると、該当するアプリで編集が可能だ。

3 写真やファイルをアップロードする

タップ

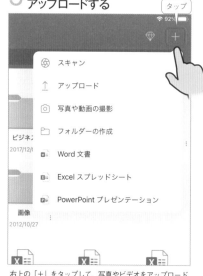

右上の「＋」をタップして、写真やビデオをアップロードできる。また、他アプリの共有ボタンからファイルをOneDriveへ送信して、ファイルをアップロードできる。オフィス文書の新規作成も可能（各オフィスアプリが起動）。

4 ファイルを選択して共有や様々な処理を行う

タップ

共有方法を選ぶ

マイクロソフトのアカウントを取得していないユーザーにもWebアプリを使ったファイルの共有、編集ができるのもOneDriveの大きな魅力。共有メニューから「リンクのコピー」で共有URLを作成できる。

153

Office

Pages、Numbers、Keynoteなど
便利なApple純正アプリを使おう

アップル純正の オフィスアプリで ビジネス文書作成

iPadでオフィス文書をオフライン編集できる、現時点でもっとも信頼性の高い選択肢が、アップルの「iWork」アプリを使用する方法。iWorkはMS-Officeの読み込みや、MS-Office／PDF形式での書き出しに対応。最新バージョンでは「リーディング表示」にも対応した。これは誤タップによる意図しない編集を防ぐための機能で、まずは「編集不可状態で書類が展開される。編集するには画面右上の「編集」をタップすればいい。他にも、Pagesは配置したオブジェクトにタイトルやキャプションを加える機能も追加され、電子書籍作成も手軽になった。Numbers、Keynoteも便利な新機能が追加されているので、ぜひ活用してみよう。

App

Pages
作者／Apple
価格／無料
言語／日本語

App

Numbers
作者／Apple
価格／無料
言語／日本語

App

Keynote
作者／Apple
価格／無料
言語／日本語

3つのアップル純正オフィスアプリ「iWork」

②選択した文字のフォント、配置した画像のデザインなどを編集できる

①文字を選択

美しい書類が手軽に作成できる 「Pages」

自由度の高いワードプロセッサアプリ。テキストを写真・グラフ・イラスト・手描きなどでデザインできる。オブジェクトにキャプションやタイトルも加えられるようになった。

写真などにタイトルやキャプションを追加できる

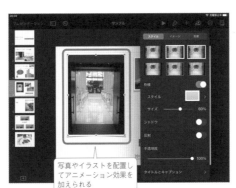

グラフのテーマカラーなどもワンタップで素早く変更できる

手軽で自由度の高い表計算 「Numbers」

ひとつのシート内に表やグラフ、イラストなどを自由にレイアウトできる。表やグラフは誤タップを防ぐリーディング表示が特に活躍する。

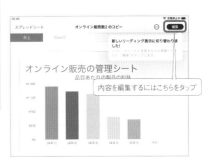

内容を編集するにはこちらをタップ

使いやすいプレゼンテーション 「Keynote」

見やすく美しいスライドを作成できるKeynoteは、ビジネスパーソンからの評価も高い。新機能としてスライドをまたいで動画やBGMを流し続けられるようになった。

写真やイラストを配置してアニメーション効果を加えられる

次のスライドに同じ動画・音声を入れるとスライドの切り替え中も途切れなくなる

154

クラウド

PCとのデータのやりとりに便利なクラウドストレージ

クラウドを意識せずにパソコンとデータ交換する

iPadへパソコンのデータを転送したり、iPadで撮影した写真をパソコンへコピーする場合、通常はパソコンへ接続して行うが、いちいち接続する手間は結構面倒なもの。今でこそ標準のiCloudを使った「iCloud写真」や「フォトストリーム」、「ファイル」機能。Googleの「Google Drive」、マイクロソフトの「One Drive」など選択肢は豊富だが、いち早くファイル同期サービスを提案した「Dropbox」も、フォローしておきたい人気のクラウドストレージだ。

パソコンのファイルやiPadの写真、動画をクラウド上へアップロードして同期し、いつでもどこでも最新のファイルを取り出すことができるサービス。自宅パソコンのDropboxフォルダへファイルを入れておくだけで、特別な操作をしなくてもそのファイルをiPadから利用できるので非常に便利だ。Appleやマイクロソフトのストレージに依存したくない場合の選択肢として覚えておくといい。なお、PDFファイルへの手書き注釈ができる「署名」機能など、モバイル版ならでは機能も多数追加されている。無料版では3台まで同期可能だ。

App

Dropbox
作者／Dropbox
価格／無料　言語／日本語

Dropboxへログインしてクラウドストレージを利用する

1 同期されているファイルを一覧

Dropboxにサインインしたら、左下の「ファイル」アイコンをタップ。クラウドに同期されているファイルやフォルダを確認する。

2 PDFファイルに署名を行う

PDFに署名をする場合は、Dropbox上でPDFを開いて右下にある「開く」ボタンをタップ。「テキストまたは署名を追加」をタップする。

3 ペンボタンをタップして署名をする

署名画面が開く。右下にあるメニューから署名を行う。手書きで署名を行う場合は中央のペンボタンをタップして「+」をタップ。

4 ファイルの共有や共有権限の変更もできる

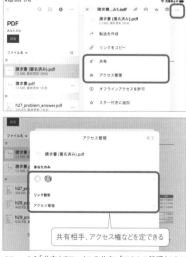

メニューから「共有」でファイルの共有、「アクセス管理」からアクセス権限の変更や共有停止などが行なえる。

155

クラウド

iPadとパソコン間で
あらゆるファイルをスムーズに渡すには

Documentsと Dropboxをうまく 連携させるのがコツ

iPadとパソコン間でデータを連携させる方法として、クラウドストレージを使用する方法が一般的だ。各サービスの公式アプリを使用する方法もあるが、強力なファイル管理機能を持つ「Documents」でのデータ連携がオススメ。クラウド上の指定したフォルダを同期する機能を活用すれば、スムーズなデータ連携が可能になる。

App

Documents by Readdle
作者／Readdle
価格／無料 言語／日本語

1 Dropboxの フォルダを同期する

②右上の「同期」をタップして表示されるポップアップ画面で「このフォルダを同期」をタップ

①メニューから登録したDropboxのアカウントを選択

Dropboxと Documentの「書類」を常に同期させたい場合は、Dropboxのアカウントを選択して、右上の「同期」をタップして同期させたいフォルダを選び「このフォルダを同期」をタップ。

2 同期フォルダにファイルを移す

タップ

同期フォルダを選択

サイドバーの「マイファイル」内に「同期フォルダ」が作成される。このフォルダにDropboxと同期したいファイルをコピーすれば常にiPadとDropboxのサーバを同期できる。

156

クラウド

複数のクラウドにある
書類を快適に閲覧する

複数のクラウドにある オフィス文書などを まとめて管理できる

DropboxやOneDriveなどのクラウドストレージに同期されたオフィス文書は、それぞれの公式アプリでもプレビューできるが、このアプリを使えば複数のクラウドに保存した書類を一括して管理できる。プレビューの品質も十分で、たとえばDropboxでは文字化けする「¥」マークなども正確に表示される。

App

Documents by Readdle
作者／Readdle
価格／無料 言語／日本語

1 クラウドアカウントを登録する

サービスを選択してサインインする

Dropbox

「クラウド上」の「追加」をタップして、登録したサービスのアイコンをタップ、クラウドサービスへサインインする。

2 クラウド上のファイルへ アクセスできる

登録されたアカウントをタップすれば、ストレージ上のファイルへアクセスできる

サインインすると、メニューにアカウントが追加され、タップするとクラウドストレージ上のファイルにアクセスできる。ファイルをタップするとアプリにダウンロードして開ける。

157

ホワイトボード

無料で使える
多機能オンラインホワイトボード

豊富なテンプレートや他人とのシェア機能が便利

「Miro」はホワイトボードアプリ。ほかのノートアプリと異なり、ピンチアウト操作でキャンバスを放射状に無制限に拡大して手書きのメモを作成できる。また、マインドマップ機能や、アイデアを整理するのに便利なカードなどビジネスシーンで役立つさまざまなツールが搭載されており、50種類以上のテンプレートも用意されている。

作成したホワイトボードはほかのユーザーと簡単にシェアすることができる。公開URLを発行するだけでなく特定のユーザーに共同編集する権利を与えることもできる。

ピンチアウトで拡大する

1 ツールを使ってアイデアを入力する

画面左に表示されるツールを使ってアイデアを入力していこう。入力したメモをタップするとさらにツールが表示され、加工できる。キャンバスを拡大したい場合はピンチアウトしよう。

タップ

共有相手のメールアドレスを入力する

共有リンクを作成する

2 ホワイトボードをシェアする

ホワイトボードをシェアする場合は、右上の「Share」をタップしよう。共有設定画面が表示される。メールで共有するならメールアドレスを入力する。共有リンクを作成することもできる。

App

Miro
作者：RealtimeBoard Inc.
価格：無料
カテゴリ：仕事効率化

マスト！
158

手書き

無料で使える多機能な
手書きノートの決定版

フリーハンドのペンやテキストツールで手書きノート作成

数あるノートアプリの中でもトップクラスの操作性と豊富な機能を持つ。紙のノートと同様に、作成したノートに手書きで自由に文字や図形を書き込んだり、テキストの打ち込み、さらにはノートにカメラやフォトライブラリの写真・画像を貼りこんでレイアウトできる。iPadをデジタルノートにしよう。

App

MetaMoJi Note Lite
作者／MetaMoJi Corporation
カテゴリ／仕事効率化
価格／無料

1 豊富なツールで高い表現力のノートを作成

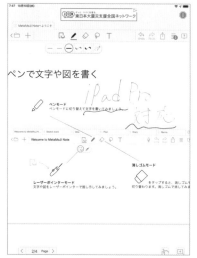

カスタマイズ可能なペンの他、写真やイラストの貼り付けも可能。用紙の選択やPDF、Webページの取り込みなど、幅広い用途で表現力豊かなノートを作成できる。

2 作成したノートを他アプリへ共有する

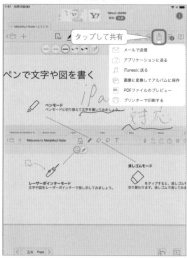

タップして共有

共有ボタンをタップすると、開いているノート全体、もしくはページ単位で、ノートをPDF／JPEGファイルとして他のアプリへ送信できる。クラウドサービスへの保存にも対応。

159

手書き

本格的な手書きノート 「NoteShelf2」は超便利だ!

豊富なペン先とツールを用意している手書きノートアプリの代表格

「Noteshelf2」は iPad で人気の定番ノートアプリ。数あるノートアプリの中でもシンプルで使いやすいインターフェースでありながら、非常に多機能であり、また安定した動作感が魅力だ。カスタマイズしやすいペン先、投げ縄ツール、オートシェイプ、各種ファイルの挿入、フォルダを使った整理などあらゆる手書き機能を搭載している。本格的な手書きノートを使いたい人におすすめだ。

App

Noteshelf
作者／Fluid Touch Pte. Ltd.
価格／1,220円

1 ペン先を自由にカスタマイズできる

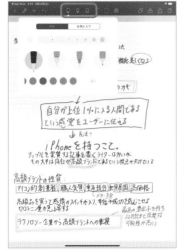

利用できるペンの種類が非常に豊富。6種類のペン先と8段階の太さを自由に組みわせることができ、カラーコードを指定して自分の好きなカラーでドローイングができる。

2 あらゆるファイルを挿入できる

ノート上にはイメージファイルや絵文字、オーディオ、さらには PDF などドキュメントファイルを挿入することができる。

160

手書き

Noteshelfで作成した各ページは他のノートに自由に移動できる

カテゴリごとにノートを作成してページを分類していこう

Noteshelf で作成した手書きのページは、「ノート」という単位で管理される。ノートはフォルダのようなもので、「らくがき」「英語学習」「仕事メモ」などカテゴリごとに作成すれば各ページが管理しやすくなる。

特に便利なのは、各ノートで作成したページは自由に他のノートの好きな場所に移動することができること。当初は「日記」として書いたつもりだったが、「仕事メモ」などほかのカテゴリのノートに移したくなった際、自由に該当のページを切り抜いて移動させることができる。

1 移動させるページを選択する

Noteshelf ツールバー右端のサムネイルアイコンをタップ。移動させたいページを選択して、右下の「すべて」をタップして「移す」をタップする

2 移動先のノートを選択する

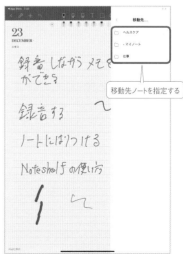

移動先ノートを指定しよう。該当のページが切り取られて指定したノートに移動する。

手書き

161 Noteshelfの「拡大入力」機能が便利!

手書きノートで文字を書くと、実際の紙に書くより文字が大きくなりがちになる。この問題を解決したい場合は、Noteshelfの「拡大入力」機能を使う。拡大入力パネルが表示され、小さな文字でもきちんと書けるようになる。拡大入力パネルでは、

手書きで文章を入力するのに便利な機能を多数搭載している。行間の値を指定すれば、常に指定した行間で改行でき、読みやすい文章を作成できる。またWordと同じようにマージンを設定して、ページ端に余白を残すことも可能だ。

タップ
拡大入力する箇所の範囲を設定する
手書きで入力をする

改行する
左右に移動する

画面右上にある拡大入力ボタンをタップする。拡大入力パネルが表示される。拡大入力する箇所を範囲指定して、手書き入力を行おう。

拡大入力パネルは、右上にある「↓」ボタンをタップすると改行できる。また「・」「・」ボタンで左右に移動できる。

マスト! / PDF

162 Webページに手書きで注釈を入れよう

ウェブサーフィンをしているときに見つけた資料ページを保存する際、その場で気になる箇所に注釈を付けて保存するなら「PDF Viewer」を使おう。Safariで表示中のウェブページを簡単にPDF化して、指やスタイラスペンを使ってテキストをハイライト表示したり、メモを追加することができる。

App

PDF Viewer
作者／PSPDFKit GmbH
価格／無料

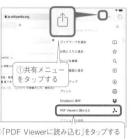

①共有メニューをタップする
②「PDF Viewerに読み込む」をタップする

注釈を付けて保存したいページをSafariで開いたら、右上の共有メニューをタップして「PDF Viewerに読み込む」をタップする。

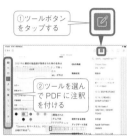

①ツールボタンをタップする
②ツールを選んでPDFに注釈を付ける

ページがPDF化して取り込まれる。上部メニューにあるツールボタンをタップすると、注釈ツールが画面左に表示されるので、好きなツールを使って注釈を付けよう。

163 PDF Dropbox上のPDFへの注釈はAdobe Acrobat Readerを使おう

Dropbox上から直接起動して注釈を付けて保存できる

Adobe Readerをインストールしていれば、Dropbox上からすぐに注釈を付けて上書き保存できる。わざわざほかのPDFアプリから読み込んで書き出す必要はなく便利。ほかのPDF注釈ツールに比べると機能はそれほど多くはないが、App Storeから無料でダウンロードして使えるのは大きなメリットだ。

App

Adobe Acrobat Reader
作者／Adobe 価格／無料
カテゴリ／ビジネス

1 PDFをDropbox上で開いて編集ボタンをタップ

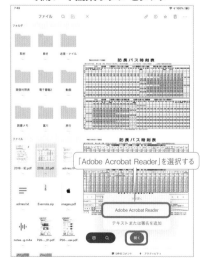

「Adobe Acrobat Reader」を選択する

編集したいPDFを選択して、右下にある「開く」ボタンをタップする。Adobe Acrobat Readerで注釈を入れるなら「Adobe Acrobat Reader」を選択する。

2 注釈ツールを使ってPDFに注釈を付ける

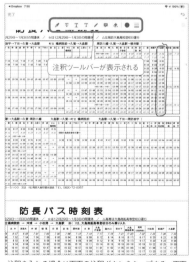

注釈ツールバーが表示される

注釈を入れる場合は画面の注釈ボタンをタップする。画面上部に表示される注釈ツールで注釈を入れていこう。

164

OCR

撮影した画像の文字を テキスト化する

OCR機能を搭載した スキャンアプリで 紙の文書を取り込もう

「Adobe Scan」はカメラで撮影した紙上のテキストをスキャンするアプリ。OCR機能を搭載しており、テキスト内容を解析してデジタルデータに変換してくれる。変換されたテキストはクリップボードにコピーすることが可能だ。スキャンされた文書はAdobe Document Cloudに自動で保存され、ほかの端末で同期することもできる。

App

Adobe Scan
作者／Adobe
価格／無料

「PDFを保存」をタップ

ツールでレタッチする

1 カメラ撮影後に補正をする

Adobe Scanで紙の文書を撮影するとレタッチ画面に移動する。切り抜き範囲や角度、明るさを調節して、右上の「PDFを保存」をタップしよう。

範囲選択して「コピー」を選択する

2 テキストをコピーする

スキャンしたPDFをAdobe Scan上で開く。テキストを長押しして範囲選択すると表示されるメニューで「コピー」を選択すると、クリップボードにテキストがコピーされる。

Dropbox

165 文書や名刺をスキャンして Dropboxに保存する

Dropboxはドキュメントスキャン機能を搭載しており、Dropbox保存している写真をモノクロや、グレースケール形式に変換できる。写真を白黒に変更することでデータサイズを圧縮したり、文字がくっきり読めるようになる。

またDropboxから直接カメラを起動して、ドキュメントスキャン機能で書類を取り込むことができる。撮影時にDropboxが自動で書類部分だけをトリミングしてくれる。手動でトリミングすることも可能だ。

1 ドキュメントスキャナを 起動する

青い枠線で範囲が選択される

タップ

紙の書類を撮影してスキャンする場合は、Dropboxメニューの「＋」をタップして「ドキュメントをスキャン」を選択しよう。

2 自動で範囲選択され 撮影される

タップして撮影する（ゲージいっぱいまで待つと自動で撮影される）

カメラ画面が起動するので書類にカメラを向ける。青い枠線で自動でスキャン範囲を選択してくれる。シャッターボタンをタップしよう。

---

iPadケース

166 MagicキーボードにもFolioにも 併用できるiPad Pro保護ケース

iPad Pro専用のキーボードであるMagicキーボードやFolioは、背面カバーは付いているが側面カバーは付いておらず本体が傷つきやすい。iPad側面も保護したいなら「SwitchEasy」がおすすめだ。

MagicキーボードやFolioを装着したまま利用できるiPad Pro防護ケースで、さらにApple Pencil(第二世代)を収納するホルダーも搭載しており、収納したまま充電することもできる。

CoverBuddy
World's First
All Apple Keyboards
Folio Compatible
iPad Pro Case

Magic Keyboard 併用可能

Smart Keyboard 併用可能

Smart Folio 併用可能

Apple Pencil 2nd 充電可能

極薄／軽量

SwitchEasy
価格／4,990円
iPad Pro11インチの第2世代(2020年モデル)に対応。カラーはブラックとダークグレーが用意されている。

167 クラウド
ノート 仕事の多くがこれひとつでOKな
超多機能ノート

原稿書き、表計算、タスク管理など、これ1つでかなり多くのことができる

　多機能メモアプリといえばEvernoteが有名だが、無料プランは端末制限や機能制限があり使いづらく感じている人は多いだろう。無料でEvernote並のメモアプリを使いたいなら「Notion」がおすすめだ。

　Notionはクラウド形式のメモアプリ。作成したメモはクラウド上に保存され、無料ながら複数の端末に制限なしでメモを同期することができる。シンプルなインターフェースながら非常に多機能な点もNotionの特徴だ。ノート作成、写真挿入、タスクリスト、ノートのシェア、テキスト装飾、URLリンクの貼り付けなど標準的なメモアプリに搭載されている機能はほぼカバーしている。データベースという表機能を使えば、エクセルのように情報を分かりやすくデータベース化することも可能だ。

　また、マークダウン記法に対応しており、MagicキーボードやFolioキーボードなどを利用している人であれば、キー操作で効率的に改行、見出し、箇条書き、ナンバリング作業が行える。

　作成した各ページは画面左にあるページ一覧で階層化して整理することができるほか、各ページ内に小ページを作成、管理することができる。ほかのユーザーとメモを共有したい場合は共有機能を利用しよう。公開URLを作成すればだれでも閲覧することができるほか、共同でページを編集したり、コメントを付けてもらうこともできる。

App

Notion
作者:Notion Labs, Incorporated
価格:無料

Notionを使ってみよう

1 ページを作成する

タップしてページを作成する

Notionでページを作成するには左メニューの「Add a page」または下部にあるページ作成ボタンをタップしよう。

2 見出しとカバーを設定する

タップしてカバーを設定する

iPadOS14

見出しを入力する

タップしてカバーを変更する

新規ページが作成される。まずは見出しを入力しよう。「Add icon」をタップすると自動的にカバーが設置される。カバーは「Change cover」から好きなものに変更できる。

3 ツールバーを利用する

iPadOS14

ツールバーから利用するツールを選択する

ほかのメニューを表示する

画面をタップしてメモを入力していこう。画面下部にあるツールバーから写真を入力したり、カラーを変更できる。さらに多くのツールを利用する場合は「+」をタップ。

4 さまざまなメニューが表示される

「+」をタップすると表作成やカレンダー、タスクリストなどさまざまなツールメニューが表示される。

5 ページを追加して階層化する

Apple Pencil

タップして階層を作る

階層的なページ構成にしたい場合は、左メニューにあるページ右にある「+」ボタンをタップする。そのページの下の階層が作成される。

6 ページをシェアする

有効にする

タップ

作成したページをシェアする場合は、右上のシェアボタンをタップする。「Share to the web」を有効にすれば公開URLを作成できる。

168

クラウド
ノート

あらゆる情報を記録する
クラウドノートサービス

定番メモアプリで
備忘録から日記まで
すべて記録する

Evernoteは、メモや写真、ボイスメモ、動画といった日々の記録をネット上に同期させて利用できるクラウド型ノートアプリ。iPadから記録したメモや写真を同期してパソコンやスマートフォンから見たり、パソコンで記録した情報をiPadから参照するなど、いつでもどこでも常に最新の情報を記録&取り出すことができる（無料ユーザーで同期できるのは2台まで）。登録されたデータはすべてクラウド上に保存されているので、同じアカウントでログインすれば複数のiOS端末やスマートフォンでノートを同期できる。Notionと異なり日本語メニューで使いやすい。

タップして新規ノートを作成する

2 テンプレートを使って
ノートを作成する

ノート作成画面で「テンプレート」をタップするとテンプレート選択画面が表示される。利用したいテンプレートを選択する。

App

Evernote
作者／Evernote
カテゴリ／仕事効率化
価格／無料

1 新規ノートを作成する

アプリを起動してアカウントを登録もしくは作成してサインインしたら、画面の左にある新規ノート作成ボタンをタップして新規ノートを作成しよう。

テンプレートを選択する

上級技

169

クラウド
ノート

Evernote無料ユーザーで
同期端末台数を増やす裏ワザ

サブアカウントに
ノートブックを
共有すればOK!

Evernote の無料ユーザーは、公式アプリを使用して同期できる端末数が「2台」に制限されている。Web版やサードパーティー製アプリを使用する方法もあるが、どうしても公式アプリで同期させたいなら、サブアカウントを取得し、メインのアカウントからノートブックを共有する方法で、可能になる。

App

Evernote
作者／Evernote
カテゴリ／仕事効率化
価格／無料

1 サブアカウントを
新規取得する

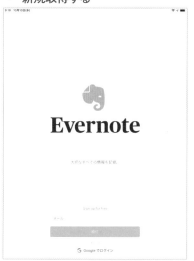

追加したい端末で使用するための Evernote アカウントを作成する（メールアドレスが複数あれば OK）。すでに別アカウントを持っていれば、そのアカウントで OK。

2 メインアカウントの
ノートブックを共有

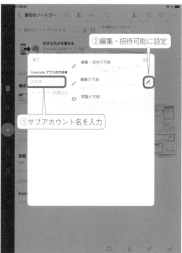

②編集・招待可能に設定

①サブアカウント名を入力

メインのアカウントでログインし、ノートブックを開いて共有ボタンをタップ。サブアカウント名を入力してノートを共有すれば、サブアカウントで同じく利用できる。

170 ノートアプリの録音機能を使おう

クラウドノート

iPadには標準で録音アプリ「ボイスメモ」が搭載されているが、メモを取りながら録音するならノートアプリを使おう。ノートアプリの多くは録音機能を搭載しており、録音しながらメモを取ることができる。おすすめはEvernoteだ。ほかのアプリに比べるとファイルが小さく、10分間の録音ファイルで約4.5MBに圧縮できる。容量を気にすることなく長時間の録音が可能だ。

「音声を録音」をタップ

下部メニューでメモを追加する

ノート作成画面左下の追加ボタンをタップして「音声を録音」を選択しよう。するとノート上部に録音バーが表示され、すぐに録音が始まる。

録音中はさまざまな方法でメモを取ることができる。下部メニューから手書きのメモを追加したり、写真を添付することができる。

171 プロのデザイナー並のPOPを簡単に作成できる

POPデザイン

豊富に用意されているパーツをダウンロードして、美しいPOPが作成できる。お店の業種別に、様々な有料パーツも販売されているが、無料パーツでも幅広く活用できる。POPのカスタマイズも可能。

App

POPKIT
作者／Rainbird,inc.
カテゴリ／エンターテインメント
価格／無料

まずは、パーツをダウンロードしておき、「はじめから」ボタンをタップしてレイアウト画面を表示。ダウンロードしたパーツを配置し、テキストなどを加えれば、美しいPOPを簡単に作成できる。

172 資料画像を1枚で並べられる便利な参照アプリ

資料表示

絵を描くときはもちろんほかのさまざまな作業でも便利

iPadで資料を参考にしながら作業する際はSplit Viewで画面を分割する機会が多い。このとき写真資料を参考にして何か作業するときに便利なのが「VizRef」というビューア。複数の資料画像を並べての、参照しながらでの資料閲覧に特化した画像ビューアー。端末内に保存されている写真を登録しよう。サムネイル表示された各写真はドラッグ操作やジェスチャ操作で自由に位置を変更したり、拡大・縮小することが可能だ。

App

VizRef
作者：Studio Pixanoh
価格：490円

追加ボタンから登録する

ドラッグやジェスチャで画像を操作する

1 参考資料を登録する

起動したら左下の追加ボタンをタップして「Insert Files」または「Insert Photos」で参考資料にする画像を登録していこう。

2 ドラッグやジェスチャで操作する

登録した写真はドラッグ操作で自由に移動できる。写真を重ね合わせることもでき、ピンチインアウトで拡大縮小もできる。Split Viewを併用すれば作業が楽になるだろう。

Split Viewでほかのアプリを起動する

上級技

173

ドラッグ＆
ドロップ

ドラッグ&ドロップの機能を
格段にアップさせる

よく使うファイルを登録しておきいつでも素早くほかのアプリにコピーする

iPad上でドラッグ&ドロップによるファイル操作を効率化させたいなら「Yoink」を使おう。よく

使うファイルや後で使いそうなファイルを登録しておけばドラッグ&ドロップで素早く目的のファイルを呼び出すことができる。写真やテキストといった一般的なファイルのほかクリップボードにコピーしている情報や指定したURLも登録しておくことができる。

App

Yoink
作者／Matthias Gansrigler
価格／730円

1 Slide OverでYoinkを起動する

ドラッグ＆ドロップでYoinkに登録する

Slide OverでYoinkを起動する

あらかじめYoinkをDockに登録しておく。登録するファイルがあるアプリを起動したあとSlide OverでYoinkを起動し、アプリをドラッグ&ドロップで登録していこう。

2 登録したファイルをほかのアプリにドラッグ&ドロップする

ドラッグ&ドロップでほかのアプリに登録する

はかのアプリを起動しYoinkから登録したノァイルをドラッグ&ドロップで登録しよう。ここではYoinkに登録している写真をメールに添付した。

3 クリップボードやURLもYoinkに登録できる

URLをドラッグ&ドロップ

「＋」をタップすると登録メニューが表示される

YoinkはファイルだけでなくクリップボードやURLを登録することもできる。左上の「＋」から登録できるほかブラウザで表示されているURLをドラッグ&ドロップで登録することもできる。

174

イラスト作成

本格的なイラストを
製作できるアドビの無料アプリ

iPadをカンバスにして本格的なイラストを楽しく制作しよう

美しいベクター描画によるイラストを描けるアプリ。基本は、太さ、カラー、透明度を設定できる5種類のペンと消しゴムを使用したフリーハンドだが、多彩な定規を使って美しい線も描ける。さらに、写真を読み込めるレイヤー機能も搭載。作成したイラストは、画像として他アプリに共有できる。

App

Adobe Illustrator Draw
作者／Adobe
価格／無料
カテゴリ／仕事効率化

1 ペンと定規を使って自由にイラストを描く

シェイプツール（定規）

ペンの設定（太さ、透明度、カラー）

左側に並ぶ描画ツールを使用してイラストを描ける。フリーハンドのほか、シェイプボタンをタップして、定規を使用するように直線や曲線もきれいに描ける。

2 レイヤーを使用して写真のトレースも楽々

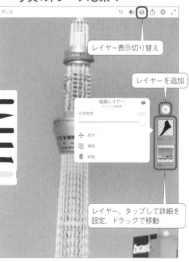

レイヤー表示切り替え

レイヤーを追加

レイヤー。タップして詳細を設定、ドラッグで移動

レイヤーにも対応。「写真レイヤー」に写真を読み込んで、トレース作業にも利用できる。レイヤーは透明度も設定でき、本格的なイラスト制作にも十分。

Siri

175 iPadに話しかけて Siriに計算してもらおう

　声で様々な操作を実行できるiPadの標準機能「Siri」は、数式の計算結果も答えてくれる。カッコ付きや分数といった、込み入った計算はできないが、単純な計算式や消費税額を計算するといった、日常的な計算なら十分実用的に使える。さらに、Siri設定で「Hey Siri」を有効にしておけば、パソコンの作業中や、家事中で両手がふさがっている時でも、声だけで計算できて便利だ。

設定アプリの「Siriと検索」を開き、「Hey Siri」を有効に設定する。これで、iPadに「Hey Siri」と話しかけてSiriを起動できる。

Siriを起動して、例えば「12000かける0.08は？」と話しかければ、計算結果を教えてくれる。「○○の○%は？」でも通じる。

圧縮・解凍

176 さまざまな形式の 圧縮ファイルを解凍する

　さまざまな形式の圧縮ファイルを解凍したり、ファイルをZIP形式に圧縮してメールなどで送信できるツール。パスワード付きの圧縮ファイルにも対応しているので、メールで受けとった圧縮ファイルが開けないときに用意しておくと安心。

App Free
iZip
作者／ComcSoft Corporation
価格／無料
カテゴリ／ユーティリティ

共有メニューの「その他」から「iZipにコピー」を選択する

メールなど他アプリから共有メニュー経由でiZipに送信すると、確認後に解凍して「Files」に保存される。パスワード付きZIPもOK。

ファイルを編集

ファイルを選択

圧縮ファイルを作成

「Files」に保存されているファイルを選択して、ZIPアーカイブを作成できる。クラウドからダウンロードして圧縮することも可能。

印刷

177 iPadからWi-Fi経由で 直接プリントしよう

　iPadの写真や書類を、Wi-Fi機能を搭載したプリンターで直接プリントアウトしてくれるアプリ。いちいちiPadをパソコンに接続したりiCloudを使って写真を転送しなくても直接プリントアウトできる。iPad内の書類のほか、クラウドサービスやWebの印刷にも対応。機種によってはスキャナーも利用できる。このアプリはエプソンのプリンター専用だが、キャノンやHPからもリリースされている。

App
Epson iPrint
作者／Seiko Epson Corporation
価格／無料　言語／日本語

カメラロールやフォトストリームの写真、クラウドストレージのファイルを読み込んで印刷設定をし、プリントアウトできる。

印刷

178 出先で書類を 直接プリントできるサービス

　iPad内のファイルをコンビニでプリントアウトできるサービス。フォトライブラリの写真、クラウド上のファイルをこのアプリへ登録すれば、あとは最寄りのセブンイレブンへ行ってコピー機でプリントアウトするだけ。

■プリント価格

	B5、A4、B4	A3	はがき	Lサイズ
白黒	20円	20円	20円	-
カラー	60円	100円	60円	40円

App
netprint
作者／Fuji Xerox Co., Ltd.
価格／無料　言語／日本語

メニューから写真や文書をアップロードすると「予約番号一覧」に予約番号が発行されるので、セブンイレブンのマルチコピー機でプリントアウトする。

設定とカスタマイズ

一通りマスターしておきたい「設定」のポイントや、
増え続ける街中のWi-Fiスポットを上手く使うテクニック、
ネットワークを駆使した上級技などをたっぷりと紹介。

179

ウィジェット
今日の表示

いろいろなウィジェットを試してみよう

続々登場のサードパーティ製ウィジェットにも注目

iPadOS 14の登場で、改めて注目されるウィジェット。実はウィジェットは純正のものだけでなく、サードパーティからもリリースされている。サードパーティ製ウィジェットは、アプリに含まれる形で提供され、対応アプリをインストールすればそのウィジェットも使えるようになる。ここでは、純正にはない個性的な機能を備えるおすすめのサードパーティ製ウィジェット（アプリ）を4つ紹介する。もっといろいろなウィジェットを試したいなら、App Storeで「ウィジェット」をキーワードにして検索してみよう。

現在地周辺の空模様をきめ細かくチェック

Yahoo!天気
開発者／Yahoo Japan Corp.
価格／無料

現在地周辺の雨雲の様子や1時間先までの降雨予測をチェックできる。他にも、気温グラフや天気概況を表示するウィジェットも含まれている。

鉄道路線経路検索や時刻表にアクセス

Yahoo!乗換案内
開発者／Yahoo Japan Corp.
価格／無料

全国の鉄道やバス路線の経路検索ができるウィジェット。選択した駅の時刻表ウィジェットもセットで提供される。

ホーム画面ですばやく計算ができる

電卓＋
開発者／7th Gear
価格／120円

iPhoneにあり、なぜかiPadにない電卓機能をウィジェットで利用できる。各キーの配色を変更することもできる。

iPadのシステム情報の確認とメモリクリア

SySight
開発者／Nobuo Saito
価格／120円

iPadのCPUやメモリの使用状況をリアルタイムでチェックできる。ウィジェット長押しで、メモリクリアできるという裏ワザも。

通知

「通知」の使い方をマスターしよう

さまざまなアプリからの「通知」を管理する

iPadでロック画面や通知センターでさまざまな通知を確認することができる。カレンダーに入力したイベントの開始や、メッセージやメールの着信、ニュースサイトやアプリからのプッシュ通知など、1日に通知は何件も届く。ただ通知が多すぎるとそれが何のアプリからの通知なのか、大事な通知なのか、それともゲームなどの重要度の低い通知なのか、ひと目で見分けがつかず、大事な通知を見逃してしまうこともある。

この問題を解決するために、iOS 12以降、通知がグループ別にまとめられるようになった。これまでさまざまな通知が入り乱れていた通知センターだが、グループ化によって同じアプリからの通知は1グループとして表示され、タップすることでスレッド式に通知が表示される。この表示方式になったおかげで、ロック画面が通知であふれかえることもなく、格段に見やすくなっている。通知の見落としも防げることだろう。

また、通知を左にフリックして「管理」→「設定」とタップすると、該当するアプリの通知設定を開くことができる。ここでは、通知のオン・オフをはじめ、通知スタイルやサウンド、バッジのオン・オフ、プレビュー表示などの設定変更が可能。また、「通知のグループ化」ではグループ化する際の条件や、グループ化を無効化することも可能だ。アプリごとに通知をカスタマイズしたいなら、こちらから見直していこう。

自分に合った通知のスタイルにカスタマイズ!

1 通知を確認する

通知センターは、iPadの画面左上から下方向にスワイプすると表示できる。ロック画面では画面中央付近を上方向にスワイプする。

2 通知をタップして展開する

アプリごとにグループ化された通知はタップすることで、展開、個々の通知の内容を確認できるようになる。

3 通知の設定変更をする

通知を左にスワイプし、「管理」をタップすると通知の設定を変更できる。また、「設定」をタップするとさらに詳細な設定変更が可能。

4 設定アプリで詳細に通知の設定をする

前の手順で「設定」をタップすると詳細な通知設定を見直せる。該当するアプリからの通知のグループ化を解除することも可能だ。

181 設定 着信音と通知音だけの音量を調整する

iPadで鳴るさまざまな音の音量は、本体横のボリュームボタンで変更できるが着信音と通知音のみ、ボリュームボタンでの音量変更を無効化して、個別に音量をコントロールすることが可能だ。「設定」→「サウンド」画面を開き、「着信音と通知音」欄にある「ボタンで変更」をオフにしよう。この状態でボリュームボタンを押しても、他の音量は変更されるが、着信音と通知音の音量は変わらなくなる。

「サウンド」の「ボタンで変更」をオフにすれば、ボリュームボタンで着信/通知音量が変更されなくなる。

「ボタンで変更」をオフにした場合、着信/通知音量はその上の音量バーでのみ変更できる

182 カメラ イヤホンマイクでカメラのシャッターを切る

iPadのカメラは、実はiPhone付属のイヤホンマイクを接続して「+」「-」ボタンを押してもシャッターを切ることができる。手振れをなるべく抑えたい、iPadから少し離れた位置でシャッターを切りたいという場合は、本体に一切触ることなく撮影できるこの方法が便利だ。なお、USB-Cポート搭載のiPad Proでも、変換アダプタ経由で接続したイヤホンマイクからシャッターが切れる。

iPhoneの付属イヤホンでシャッターを切れば、撮影時の手振れを抑えられるほか、少し離れた場所からでも撮影できる

iPhoneの純正イヤホンマイクをiPadに接続した状態でカメラを起動。ボリューム／マイクボタンの「+」か「-」を押せば、写真シャッターを切れる。

上級技 183 Slide Over／Split View マルチタスクをスマートに使うピンポイントテク!

Slide OverやSplit Viewによって、iPadで複数のアプリを使った作業は格段にやりやすくなった。これらのマルチタスク機能をもっと使いこなして、作業効率を高めたいなら、ここで紹介する2つの操作方法を覚えておきたい。まずはSlide Over時のフローティングウインドウをすばやく全画面表示にする方法。通常なら数回の操作が必要だが、この方法なら1度ドラッグするだけだ。もう1つがワンフリックでSplit Viewで左右をすばやく入れ替える方法だ。

ウインドウのインジケーターを画面中央上付近にドラッグする

ウインドウのインジケーターをもう一方のウインドウの方向にすばやくフリックする

フローティングウインドウの上端中央のインジケータを、画面上部中央にドラッグすると、そのアプリを全画面表示にできる。

Split Viewでアプリのウインドウを入れ替えるには、いずれかのウインドウ上端中央のインジケータを、すばやく逆方向にフリックする。

上級技 184 Spotlight Spotlightからのスピーディーな上級連携ワザ!

iPadに外付けキーボードを組み合わせて作業している際に、別のアプリをSlide Overで表示したいといった場合、いちいちDockからアプリアイコンをドラッグするのは面倒だ。そこでSpotlightを使ったテクニックを紹介しよう。SpotlightはiPadに備わる検索機能で、ホーム画面で画面中央を下方向にフリック、あるいはキーボードのcommandキーとスペースキーの同時押しで呼び出せる。ホーム画面に見当たらないアプリを探し、分かりやすいところにアイコンを移動したい場合も、この方法が使える。

①アプリ名を入力して検索

②アプリアイコンをドラッグ&ドロップ

アプリがフローティングウインドウで表示される

Spotlightでアプリ名を入力して検索、表示されるアプリアイコンを現在作業中のアプリ上にドラッグすると、Slide Overで表示される。

①アプリ名を入力して検索

②アイコンをホーム画面にドラッグ&ドロップ

ホーム画面で見つからないアプリをSpotlightで検索、アイコンをホーム画面にドラッグすると、その位置にアイコンが移動される。

185

辞書

単語登録で文字入力を効率化、省力化しよう

超便利! 複数のデバイスでユーザ辞書を同期可能に

iPad や iPhone など、機器ごとに個別にユーザー辞書を登録する必要はない。同じ Apple ID でサインインしていれば他の iOS デバイス、および Mac（OSX Mountain Lion 以降）の「日本語 IM」と辞書が同期されるようになっている。ユーザ辞書を確認するには、「設定」→「一般」→「キーボード」を開いて「ユーザ辞書」をタップしよう。登録単語が五十音順で表示され、編集や新規登録も可能だ。挨拶やよく使う言い回し（長文も登録できる）を登録して便利に活用しよう。

1 ユーザ辞書に登録する

「設定」→「一般」→「キーボード」→「ユーザ辞書」と進み、「＋」をタップして新規登録できる。

2 ユーザ辞書を活用する

登録した「読み」を入力すると、登録した単語が候補に現れる。

186

アイコン

ホーム画面のアプリアイコンのサイズを変更したい

iPadのホーム画面には、各アプリを起動する、切り替えるためのアイコンが並んでいるが、このアイコンのサイズは2種類用意されており、必要に応じて変更することができる。アイコンを小さくすると（設定で「多く」を選択）、そのぶん1画面に表示されるアイコンの数を増やすことができる。大きいアイコン（設定で「大きく」を選択）は、以前のiPadのホーム画面アイコンの標準サイズとなるため、以前と同じ見た目にしたい場合はこちらを選択しよう。

大きいアイコンになる

小さいアイコンになる

「設定」→「ホーム画面とDock」の画面で、「APPアイコン」からホーム画面のアプリアイコンの大きさを選択できる。「多く」で小さいアイコン表示になる。

187

音量

曲ごとに不揃いな音量を均一に自動調整する

パソコンなどに取り込んだ曲を iPad に転送して聴く場合、曲によって音量がバラバラだと、非常に聴きづらく、疲れてしまうこともある。これは、音量の自動調整機能を有効にすれば解決できる。この機能を有効にすると、曲ごとの音量が再生前に自動的に解析され、音量の大きい曲は小さく、小さい曲は大きくといったように平均化される。また、イヤフォンで曲を聴いているときの突然の大音量を抑える機能も用意されている。

「音量を自動調整」をオンにする

「大きな音を抑える」をオンにする

「設定」→「ミュージック」の「音量の自動調整」をオンにすると、曲ごとにバラバラな音量を平均化できる。

「設定」→「サウンド」の「大きな音を抑える」をオンにすると、イヤフォンなどの外部音声出力時に、突然の大音量を防ぐことができる。

188 設定
飛行機への搭乗時でも、Wi-Fiを使いたい!

「機内モード」は3G／4G回線、Wi-Fi、Bluetoothすべての通信を切断する飛行機内利用時の機能だが、最近は機内でWi-Fiを利用できる航空会社も多い。国内だとJALとANAがそれぞれ機内Wi-Fi接続サービスを開始しており、一部国際線で利用することができる。機内モードがオンの状態でもWi-Fi接続はできるので、一度機内モードをオンにしてから、「Wi-Fi」をオンにして、接続するネットワークを選択しよう。

設定の「機内モード」をオンにした状態でも、Wi-Fi接続だけをオンにできる

機内Wi-Fiサービスを利用したい場合は、機内モードをオンにした状態で、Wi-Fiを「オン」にして接続しよう。

189 Wi-Fi
Wi-Fi接続時にいちいち表示される確認がわずらわしい!

外出先など、Wi-Fiアクセスポイントへ接続していない状態でSafariやメールを起動すると、Wi-Fiに接続するか聞いてくる。受信済みメールを読みたいだけなのに、いちいち確認するのが面倒であれば、「設定」→「Wi-Fi」にある「接続を確認」を「オフ」に設定することで無効になる。ただ、この設定をオフにすると、自動的に知らないアクセスポイントへ接続していても気が付かない場合があるので注意しよう。

オフにするとWi-Fi接続確認が表示されなくなる

上級技 190 通知
おやすみモードを活用して作業中の通知をオフにしたい

カレンダーと連携してイベント中の通知を無効化できる

「おやすみモード」は夜間に通知で起こされてしまうのを防ぐという機能。普通に使うだけでも便利だが、カレンダーに登録されたイベントと連携できる点は意外と知られていない。カレンダーにイベントが登録されている場合は、「このイベントが終了するまで」のメニュー項目が現れ、イベント時間中の通知オフが可能。マナーモードと違い、時間が過ぎると自動的にオフになるので、会議の前や勉強や資料作成など、一時的に集中したい場合に使いたい機能だ。

1 コントロールセンターを表示させる

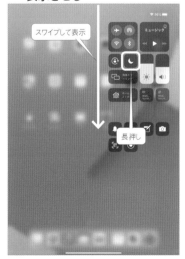

スワイプして表示

長押し

画面右上を下にスワイプしてコントロールセンターを表示。「おやすみモード」ボタンを長押しする。長押しせず、1回タップするだけなら解除するまで有効になる。

2 おやすみモードを細かく設定できる

イベントの終了時刻まで通知が無効化される

カレンダーの直近のイベントを参照して、「このイベントが終了するまで」という項目が表示される。こちらをタップしよう。

191

Gboard

Google製キーボードアプリ「Gboard」を使おう

Googleが提供するキーボードアプリで文字入力を快適にする

「Gboard」はGoogleが提供している文字入力アプリ。iPhone用のアプリだがiPad上でも問題なく動作させることができる。Gboardの最大の特徴はGoogleならではの予測変換精度の高さ。流行語、固有名詞、人名を入力しても思い通りの変換候補を表示することが可能だ。なお、標準ではテンキー入力になっているが、Gboardの設定画面からパソコン用キーボードのQWERTYに変更できる。

App

Gboard- Googleキーボード
作者／Google, LLC. 価格／無料
カテゴリ／ユーティリティ

1 Gboardをインストールする

有効にする

インストール後、「設定」画面から「Gboard」を開く。「キーボード」をタップし、「Gboard」と「フルアクセスを許可」を有効にしよう。

2 Gboardに切り替える

地球儀を長押しして「Gboard」をタップする

Gboardに切り替えるには、キーボード画面で地球儀マークを長押しして「Gboard」をタップ。するとテンキー入力のGboardに変化する。

192

Gboard

Gboardを使ってGoogleサービスを利用する

ウェブ検索からYouTube検索までできるGboard

Gboardは、標準のキーボードを置き換えて文字入力を効率化するだけでなく、Googleが提供するアプリならではの機能を備えている。それが、インターネット検索機能だ。キーボード左上の「G」ボタンをタップすると表示される検索ボックスにキーワードを入力すると、キーボード内にインターネット検索の結果が表示され、それをタップするとそのウェブページを表示できる。さらに、入力した単語やフレーズを別の言語に翻訳することも可能だ。

蒲田のとんかつ屋

1 インターネット検索をする

キーボード左上にある「G」ボタンをタップして表示される検索フォームから検索が行える。ウェブ検索、イメージ検索のほか周囲のレストランも手軽に検索できる。

検索フォームに入力した単語が翻訳される

好奇心

2 単語やフレーズを翻訳する

「G」ボタンをタップしてから、「翻訳」をタップし、検索ボックスに単語やフレーズなどを入力すると、他言語に翻訳できる。さまざまな言語の組み合わせが可能だ。

193

iCloud

iCloudを使ってデバイスの垣根を越えたデータ同期を実現!

iCloudで同期できるデータと機能

「iCloud」はDropboxなどのように自分で好きなデータをアップして保存するサービスだけではなく、iPad／iPhone／iPod touchや、Windows／Macの一部データをiCloud上に保存し、それぞれのデバイスで同じデータを共有できるようにする同期サービスも利用できる。iCloudの利用にはApple IDが必要で、同じApple IDでサインインしたデバイス同士でデータの同期が可能になる。

iCloudで同期できるのは、「iCloudメール」の送受信データ、「連絡先」のアドレス情報、「カレンダー」に登録した予定、「リマインダー」アプリに登録したタスク、「Safari」のブックマークと開いているタブ、「メモ」アプリで作成したメモ、Webサイトやクレジットカードのパスワード、iPadやiPhoneで撮影した写真（フォトストリーム）など。また端末の位置情報を確認できる「iPadを探す」や、設定やデータをバックアップする「iCloudとバックアップ」機能も利用できるほか、Storeでの購入履歴はすべてiCloudに保存されているので、他のデバイスで購入した音楽やアプリを、同一アカウントでサインインした別デバイスで自由にダウンロードできる。iCloudを利用するには「設定」のアカウント設定画面で、利用しているApple IDとパスワードを入力しよう。続いて表示されるメニュー内にある「iCloud」で同期項目の設定ができる。

iCloudにサインインして同期するデータを選ぼう

1 iCloudにサインインする

「設定」→「iPadにサインイン」をタップして、Apple IDとパスワードを入力し、「次へ」をタップしよう。続けて、パスコードなどを入力して認証する。

2 iCloudの設定画面

サインインしたら設定画面一番上のアカウント名をタップして、「iCloud」をタップする。

3 iCloudで同期したい項目を選択

メールや連絡先など、iCloudで同期したいデータを選択しよう。オフにする際、以前の同期データを残すか削除するかも選択できる。

タップして同期非同期を切り替え

point

iCloud Driveを活用するには?

iCloudのストレージ機能「iCloud Drive」の中身は「ファイル」アプリで見ることができる。PDFやプレゼンテーション、スプレッドシートなどの書類を保存でき、また、iPhoneや、Mac、Windowsパソコンとファイルを共有して編集することも可能となる。

194

iCloud

ウェブブラウザでiCloudの各種機能を利用する

ブラウザでiCloudサイトにアクセスしよう

iCloudに保存されたデータはiPadやiPhoneだけでなく、パソコンのブラウザからも確認できる。ブラウザでiCloud（https://www.icloud.com/）にアクセスし、Apple IDでサインインしよう。メール、連絡先、カレンダー、メモ、リマインダー、iPhoneを探す、iWorkのアイコンが表示され、それぞれ同期されたデータを閲覧・編集できるはずだ。なおフォトストリームの写真をWindowsで見るには、別途「Windows用iCloud」のインストールが必要となる。

1 ブラウザでiCloudにアクセスする

ブラウザでiCloud（https://www.icloud.com/）にアクセスし、Apple IDでサインインすると、iCloudで同期中の項目が表示される。

2 各種データも自由に編集可能

メールや連絡先などのアイコンをタップすれば、それぞれアプリで内容を編集できる。「iPhoneを探す」もブラウザから利用可能だ。

195

iCloud

各種設定や撮影した写真などを、クラウドにバックアップしよう

iCloudバックアップで設定やアプリが元通りになる

iCloudのメニュー内にある「iCloudバックアップ」をオンにすれば、Wi-Fi接続／電源接続／画面ロック時に、自動でバックアップを実行してくれる。バックアップされるのは、各種設定やホーム画面、アプリ、iPadで撮影した写真や動画、メッセージなど。iPadを初期化した際は「iCloudバックアップから復元」を選ぶだけで、これらが全て元通りになる。ただしこの時はWi-Fi接続が必要だ。Apple Musicに加入していれば、音楽も同様に復元される。

1 iCloudバックアップをオンにする

タップしてオンにする

タップすると手動ですぐにバックアップを作成できる

設定の「アカウント」→「iCloud」→「iCloudバックアップ」で「iCloudバックアップ」をオンにすれば、バックアップが自動実行される。

2 iCloudバックアップから復元するには

タップしてiCloudからの復元を進める

iPadを初期化した場合、初期設定の途中で表示される「iCloudバックアップから復元」を選択すれば簡単に復元できる。

196 保証期間 「保証期間はいつまで?」を調べる方法

「設定」の画面から保証期間の終了日が分かる

iPadには通常、購入日から90日間の電話サポートが付帯し、1年間の無償修理サポート期間が設けられている。万が一、iPadが故障してしまった場合、サポート期間であるかどうかは重要になるので、いつでも確認できるようにしておこう。1年間の無償サポート期間がいつまでなのかは、「設定」→「一般」→「情報」とタップすると表示される「限定保証」に記載されている。この日付は、初めてiPadを起動し、Apple IDでサインインした日から起算されたものだ。

1 「情報」をタップする

②「情報」をタップ

①「一般」をタップ

iPadのホーム画面で「設定」をタップして、画面左のメニューから「一般」をタップし、続けて「情報」をタップする。

2 サポート期限日が表示される

保証期限の日付を確認できる

「限定保証」の欄に、1年間の無償サポート期間の日付が表示される。さらにこの欄をタップすると、保証内容の詳細について確認できる。

---

197 フォント ホーム画面などの文字が小さくて見づらい!

iPadの文字が小さくて見辛いと感じたら、フォントサイズを変更しておこう。「設定」→「画面表示と明るさ」の「テキストサイズを変更」をタップ。スライダを左にスライドすると、連絡先、メモ、メール、メッセージなど Dynamic Type に対応しているアプリではフォントサイズが大きくなる。それでも見辛いなら「設定」→「アクセシビリティ」→「画面表示とテキストサイズ」からさらに調整できる。

右にスライドすると一部のフォントサイズが大きくなる

有効にすると文字が太くなる

さらに大きな文字にしたい場合はこちらから変更できる

快適に使いたいならフォントに関する見直しも必要だ。「テキストサイズを変更」や「文字を太くする」などの設定を見直して見やすくしていこう。

---

198 上級技! フォント iPadにさまざまなフォントをインストールする

ワープロなどのアプリでは、テキストのフォント(字体)を変更できるが、フォントの選択肢はあまり多くはない。そこで、インターネットで配布されているフリーフォントをiPadに追加して使ってみよう。フリーフォントをiPadにダウンロードしたら、「RightFont」などのアプリを使ってそれをシステムに組み込めばいい。なお、フリーフォントはほとんどの場合、ZIP形式で圧縮されているが、純正の「ファイル」アプリを使えばZIP形式のファイルを展開して、フォントファイルを取り出すことができる。

App

RightFont
開発者／LIYI CHENG
価格／370円

SafariでフォントがまとめられたZIPファイルをダウンロードし、「ファイル」アプリでZIPファイルを展開しておく。

①「+」をタップしてフォントを読み込む

②読み込んだフォントをタップして選択

③「インストール」をタップ

RightFontで「+」をタップし、展開したTTF／OTF形式のフォントファイルを選択して読み込む。左の一覧でフォントをタップし、画面右の「インストール」をタップする。

199

パスワード

Safariなどで保存したパスワードを確認、管理する

便利なiCloudキーチェーンを有効に使おう

iCloudキーチェーンは、一度入力したパスワードを記録、次回アクセス時に自動入力してくれるので、会員制サイトへのログインなどを素早く行なうことができて非常に便利。この際記録したパスワードは、「設定」→「パスワード」とタップすると表示される画面から確認することができる。また、この画面からパスワードの文字の組み合わせを確認することもできるので、操作中は他の人に見られないようにしよう。

1 パスワードを確認するには?

「設定」→「パスワード」とタップすると、Safariなどのアプリでパスワードを記録したサービスやアプリが一覧表示される

2 パスワードの文字列を確認する

アプリやサービスの一覧から、目的のものをタップすると、ログインユーザー名やメールアドレス、パスワードの文字列を確認できる。

セキュリティ

200 周辺機器を悪用するハッキングを未然に防ぐ

iPadの外部入力ポート（LightningやUSB-Cポート）に接続するだけで、ロックを解除してしまう周辺機器の悪用を防ぐため、こうした機器を接続してもロックを解除できないようにする設定項目が用意されている。iPadのセキュリティを確保したいのであれば、この設定は常に有効にしておこう。なお、設定変更の際は、必ずパスコード、Touch ID、Face IDのいずれかによる認証プロセスを経ることになるので、勝手に設定を変更されてしまう心配は少ない。

オフになっていればいい

「設定」→「Face（Touch）とパスコード」画面の「USBアクセサリ」がオフであれば安全。ロック解除後1時間でUSBアクセサリを接続・利用するにはロック解除が求められるようになる

上級技

音声入力

201 音声入力で記号を入力するには?

音声入力を使ってテキストを打っている際、どう話しかければいいのか分からない入力操作が多々出てくる。基本的には、記号名をそのままなんとなく話しかければうまく入力できる。改行をしたくなった場合はそのまま「かいぎょう」と話しかければきちんと改行されるはずだ。また句点を打ちたいときは「まる」や「くてん」、読点を打ちたいときは「てん」や「とうてん」と発声すればよい。！マークの場合は「びっくりマーク」と話しかければ問題なく入力できる。

松岡くん、優勝おめでとう！

たとえば「松岡くん、優勝おめでとう!」と入力したい場合は、「まつおかくんてんゆうしょうおめでとうびっくりマーク」と言えばよい。

記号関係の音声入力方法一覧

記号	音声入力方法
空白スペース	すぺーすばー
改行	かいぎょう
?	はてなまーく/ぎもんふ/くえすちょんまーく
。	まる/くてん
、	てん/とうてん
!	びっくりまーく/かんたんふ
*	あすたりすく
=	いこーる
ー	はいふん
!	びっくり
#	しゃーぷ
¥	えんまーく
$	どるまーく/どるきごう
&	あんど/あんばさんど
@	あっとまーく
/	すらっしゅ
\	ばっくすらっしゅ
:	ころん

202

Apple ID

クレジットカードなしでも
アプリを入手できる

クレジットカードや iTunes Card無しで Apple IDを取得する

iPad にアプリをインストールするには Apple ID の取得が必要だが、通常 Apple ID を登録するにはクレジットカードか iTunes Card が必須。だがこれらを用意しなくても無料のアプリはダウンロードすることができる。

そのためには、アプリダウンロード時に無料（入手ボタン）になっているアプリを選び、Apple ID にサインイン、もしくは新規作成する。無料アプリならそのまま認証の手順に進み、Touch ID や Face ID での認証が済めばダウンロードできる。

1 無料のアプリを「入手」

なんでもいいので、無料のアプリを探し「入手」ボタンをタップする。

2 認証する

Touch ID などでの認証の後、「インストール」ボタンをタップすれば、そのままアプリをダウンロードできる。

203

iTunes

クレジットカードを登録済みでも
プリペイドカードは使える

iTunesカードの残高から優先的に消費される

アプリや音楽を購入する際、決済方法としてクレジットカードの他、コンビニなどで販売されているプリペイドカード（iTunesカード、App Store カード）によるチャージが使える。プリペイドカードからチャージするには、カード背面のスクラッチを剥がすと現れるコード番号を入力するか、iPad のカメラでスキャンする。クレジットカードを決済方法として登録済みの場合でも、チャージした金額から優先的に使用され、それを超える場合は差額がクレジットカードに請求される。

1 iPadでiTunesカードを使う

「iTunes」や「App Store」アプリのトップ画面下にある「コードを使う」でコードを入力。カメラでの読み取りも可能だ。

2 残高を確認する

App Store、もしくはiTunes Storeアプリの画面右上にあるアカウントアイコンをタップすると、プリペイドカードからチャージした残高が確認できる。

204

設定

仮想ホームボタンを追加できる「Assistive Touch」を使いこなす

ホームボタンを画面内に配置する「Assistive Touch」

設定の「アクセシビリティ」→「タッチ」→「AssistiveTouch」と進み機能をオンにすると画面に白い丸ボタンが表示される。これをタップするとメニューが表示され、仮想的ホームボタンとして使ったり、通知センターやコントロールセンター、Siri を起動したりといった iPad の基本的なジェスチャー操作をタップ操作で行えるようになる。

また、この白い丸ボタンはドラッグすれば、画面外周の好きな場所に配置を変更可能。本来は操作をサポートするための機能だが、ホームボタンを押しすぎて反応が鈍くなった時などに、ホームボタンの代わりに利用するといったテクニックもある。

「Assistive Touch」機能で多機能ボタンを配置する

1 「Assistive Touch」をオンにする

設定から「アクセシビリティ」→「タッチ」→「Assistive Touch」と進み機能をオンにすると白い丸ボタンが表示される。

2 タップボタンでメニューを呼び出す

白い丸ボタンをタップすると、メニューが表示され、ホームボタンなどのさまざまな動作をタップで行なえるようになる。

「Assistive Touch」をカスタマイズしてホームボタンに特化する

「Assistive Touch」はさまざまな機能を使うことができるが、これをあえて1つの機能に特化させるのもまた便利だ。例えば前述したホームボタンが効かなくなってしまった場合の対処法。初期設定でホームボタンの代用をする場合、「Assistive Touch」の白い丸ボタンをタップした後に「ホーム」をタップせねばならない。しかし、「Assistive Touch」での機能を「ホーム」だけに限定することで、白い丸ボタンをタップした時に即座にホームボタンとして機能してくれるようになるのだ。ホームボタンが効きづらくなった場合の処置として覚えておこう。

「Assistive Touch」をホームボタンに特化させる

1 メニューをカスタマイズ

「Assistive Touch」の設定画面で「最上位レベルのメニューを…」をタップ。「ー」ボタンをタップしてアイコンを削除していく。

2 ホームボタンに割当てる

ひとつだけ残ったアイコンをタップし、「ホーム」を選択する。これで即座にホームボタンと同じ動作を行なってくれるようになる。スクリーンショットボタンだけにするのも便利だ。

205 省データ モード 省データモードを使ってみよう!

データ通信の 使いすぎを 未然に防ぐ

iPadOSには、「省データモード」が搭載されている。省データモードを有効にすると、Safariなどのウェブブラウザをはじめとする通信するアプリでのデータ通信量を抑えることができるので、特に携帯電話回線やスマートフォンのテザリングでiPadをインターネット接続しているときに有効にしておくといいだろう。iPadのセルラーモデルの場合は、「設定」→「モバイルデータ通信」から有効にできる。

1 接続中のスマートフォンの 詳細を表示する

「設定」→「Wi-Fi」とタップし、目的のアクセスポイント（ここではテザリング元のスマートフォン）の「i」ボタンをタップする。

2 「省データモード」を有効にする

「省データモード」のスイッチをタップしてオンにする。セルラーモデルの携帯電話回線の通信量を抑える場合は、「モバイルデータ通信」の画面で同様に操作する。

上級技 206 画面拡大 ピンチアウトで拡大できない画像を 強制的に拡大表示する

画像の細かい部分も 拡大して じっくり見られる

Webブラウザや、アプリで表示されている画像を拡大して細かい部分を調べたい時、通常ならピンチアウト操作で拡大させるが、Webページやアプリによってはピンチ操作に対応していない場合がある。そのような時は、iPadに標準で搭載されている「ズーム機能」を活用すれば、どんな画像でも拡大表示できる。ズーム機能を有効にしておけば、3本指で画面をダブルタップすることでいつでも画面を拡大可能。3本指で画面をタップしたまま指を上下に動かすことで拡大率を変えたり、ドラッグして拡大する位置を移動する。再度3本指ダブルタップで元の画面に戻る。

1 ズーム機能を オンにする

設定を開き「アクセシビリティ」＞「ズーム」＞「ズーム機能」の順にタップして「ズーム機能」をオンにする。ズーム範囲は「ズーム領域」で指定。

2 3本指ダブルタップで いつでも画面拡大

画面を3本指でダブルタップすると画面がズームされる。タップしたままドラッグでスクロール。再度3本指ダブルタップでズーム終了。

207

WI-Fi

自動で街中のWi-Fiにつながる「タウンWiFi」がiPadに超絶便利！

コンビニやカフェファーストフード店などのWi-Fiスポットに自動接続

Wi-Fi 版 iPad ユーザーにとって、外出先でのネット接続環境は重要な検討ポイント。近年ではスマートフォンのテザリング機能を使用するユーザーも多いが、通信量に制限があるため、決して最善策とはいえない。また、有料制の Wi-Fi サービスも、どこでも利用できるわけではなく、利用する地域や行動パターンによっては、コストパフォーマンスは高くない。

そこで積極的に利用したいのが、さまざまな場所で提供されている無料の Wi-Fi スポット。スターバックスやマクドナルドといったよく見かける飲食店、セブンイレブンやローソン、ファミリーマートなどのコンビニ、家電量販店など、全国どこでも見かける施設で無料のWi-Fi サービスが提供されている。

「タウン WiFi」は、全国のWi-Fi スポットに、簡単に自動接続してくれる超便利なアプリ。あらかじめ自宅で、よく訪問する施設の Wi-Fi スポットを登録しておけば、あとはその施設で Wi-Fi をオンにするだけで、面倒な登録手続きをしなくても自動的にインターネット接続してくれる。「遅い Wi-Fi に接続しない機能」などキメ細かい設定も可能だ。

App

タウンWi-Fi by GMO
作者／TownWiFi Inc.
カテゴリ／ユーティリティ
価格／無料

Wi-Fiスポットを登録して、外出先で自動接続する

1 アシスト画面で好みの設定を行う

オンにして速度を設定する

画面下の左タブ「アシスト」で基本的な設定を行う。「遅い Wi-Fi」「使えない Wi-Fi」を排除する設定なども細かく行える。

2 接続したいWi-Fiスポットを選択する

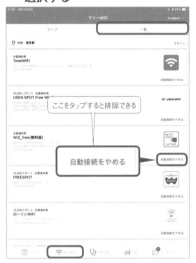

ここをタップすると排除できる

自動接続をやめる

左から 2 つめのタブ「みつける」＞「一覧」で自動接続したい Wi-Fi を選択することができる。「自動接続をやめる」をタップしてつなぎたくない Wi-Fi を排除していこう。

3 スポットに行けば自動で接続してくれる!

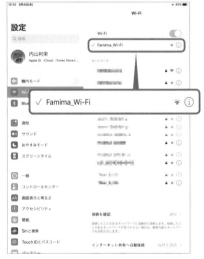

Wi-Fi の届いているエリア内に入ると自動で接続してくれる。下部タブの「分析」でタウン Wi-Fi にどれぐらい接続したかのデータもチェックできる。

4 内蔵地図アプリで接続先を探す

左から 2 つめのタブ「みつける」＞「マップ」で接続可能な Wi-Fi スポットを具体的に知ることができる。設定ができていれば、そのエリアに入れば自動的に Wi-Fi 接続される。

208

ディスプレイ

サイドカー非対応の環境でも iPadはサブディスプレイになる

有線接続で快適! Windowsでも 使用できる!

使っているMacがサイドカーに非対応（MacBook Proの場合は2016以降のモデルが対応）の機種でも、Duet Displayを使えば快適にサブディスプレイとしての使用が可能だ。Lightningの有線接続で、動きの少ない表示をするなら遅延は問題ない。また、Windows環境で使える点も見逃せない。

App

Duet Display
作者／Duet Inc.
価格／1,220円　言語／日本語

1 パソコンにもソフトを入れ、 iPadと接続して使う

Mac、もしくはWindowsのPCにソフトをインストールしたら、iPad側でDuet Displayを起動させ、パソコンでも起動させるとサブディスプレイとして起動する。特に難しい設定などはない。通常の外部ディスプレイと同様、配置なども変更できる。

2 設定も細かく チューニング可能!

通常の拡張表示のほか、ミラーリングも可。解像度も5段階から選べる。フレームレート、表示品質、Retina表示も選択できる。行う作業の内容と、表示の状態を確認してベストな設定値を見つけよう。

PC SOFT
Duet Display
作者／Duet Inc.
URL　https://ja.duetdisplay.com

209

遠隔操作

Googleのアプリで iPadからPCを遠隔操作

Chrome拡張機能の リモート操作 アシスタント

Googleの「Chrome Remote Desktop」は優秀なリモートアプリ。Chromeの拡張機能として追加することで、簡単なPINコードでiPadからパソコンを操作できるようになる。

App

Chrome Remote Desktop
作者／Google, Inc.
価格／無料　言語／日本語

PC SOFT
Chrome リモート デスクトップ
作者／Chromoting Release Managers
URL／remotedesktop.google.com/access

1 遠隔操作するパソコンの設定をおこなう

6桁以上のPINコードを入力する

「remotedesktop.google.com/access」にPCでアクセスし、機能拡張をChromeにインストールしたら「リモートアクセスの設定」をオンにし、パソコンの名称とPINコードを設定する。そして「起動」をクリックで準備完了だ。

PINコードを入力

2 iPadアプリからアクセスして スムーズに遠隔操作

iPadアプリを起動し、同じアカウントでログイン。「リモートのデバイス」に接続可能なパソコンの一覧が表示されるのでタップ。設定したPINコードを入力すれば、デスクトップをiPadで表示、操作できる。表示もスムーズ。

210

Apple Pencilと一緒に使うと便利なアクセサリ

快適に充電するグッズやキャップ紛失を防ぐためのアクセサリを導入しよう

iPad Proの登場にあわせて発売されたApple Pencilは、圧力や傾きを変えるだけで線の太さや濃淡を調整できる便利なスタイラスペンだ。

使っているときは全く不満を感じないApple Pencilだが、使用後の管理面ではいろいろ不満を感じることがある。そこで、2つのApple Pencilを管理するのに便利なアクセサリを導入しよう。

「第2世代」の方は、筐体に直接接続する充電方式ゆえにペンの太さを好みにするグリップ装着が難しい点がポイントだ。第一世代ならば自分好みのグリップを選び放題だったが、第2世代では非常に難しい。その部分を克服する製品を先に紹介しよう。注目すべきは、本来Apple Pencil用に開発されたものではなく、鉛筆の持ち方を矯正するためのグリップである点だ。

「第1世代」の方は、Lightningコネクタに直接接続する不格好な充電方法から発生する問題がポイントになる。充電スタンドやペンスタンドが標準では用意されていないので、気になる人は今回紹介したようなアクセサリを考えてみた方がいいだろう。Appe Pencilは長く使っていくものなので、グリップも何種類か試してみよう。

Apple Pencil（第2世代）の便利アクセサリ

Firesara
鉛筆もちかた矯正 ペングリップ（12個）
実勢価格：1,200円

本来は鉛筆の持ち方を矯正するための製品である。カラフルなシリコングリップが12個も入っている。

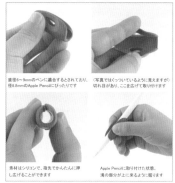

直径6〜9mmのペンに適合するとされており、径6.8mmのApple Pencilにぴったりです

（写真ではくっついているように見えますが）切れ目があり、ここを広げて取り付けます

素材はシリコンで、指先でかんたんに押し広げることができます

Apple Pencilに取り付けた状態。溝の部分が上に来るように握ります

Apple Pencil 第2世代にピッタリ合うので装着して使おう。充電時は、グリップの隙間がiPad Proに合ったサイズなのでピッタリとiPadにつけることができるのだ。

Apple Pencil（第1世代）の便利アクセサリ

LEFON
Apple Pencil 充電ケーブル
価格：1,299円（Amazon）

USBケーブルから直接Apple Pencilをつないで充電できるアクセサリー。iPadのLightningコネクタや付属アダプタを利用する必要はない。紛失防止の連結キャップカバーもついており、価格は非常にリーズナブル。

INMAN
Apple Pencil 専用充電スタンド
価格：2,000円（Amazon）

USBケーブル経由で利用できるApple Pencil 充電専用スタンド。横向きにApple Pencilを寝かすのが嫌いな人におすすめ。充電中に無くしがちなキャップも収納できる。

FRTMA
Apple Pencil用グリップ（マグネット付き）
実勢価格：1,399円

シリコン製グリップの側面のマグネットによって、Apple PencilをiPad本体に直接くっつくようにできる。両面テープ付き金属プレートを2点同梱。

Pencil Barrier
Apple Pencil用シリコンカバー
実勢価格：980円

Apple Pencil全体をシリコンで包み込むカバー。Apple Pencilやキャップの転がり落下を防止できる。またグリップ部分の凹凸加工とシリコンの適度な弾力により、Apple Pencilのグリップ感が大幅にアップ。

211 バッテリー バッテリーを長持ちさせる方法

画面の明るさと通信頻度を落とすのがポイント!

iPad のバッテリー駆動時間は、Wi-Fi でインターネット、ビデオ、音楽を再生している状況で最大 10 時間。3G/4G のモバイルデータ通信でインターネットを利用している場合は最大 9 時間となっている。ただしこれはあくまでもカタログスペックなので、実際のバッテリー消費はこれよりもやや早まると言えるだろう。

iPad の消費電力を抑えるポイントは、大きく分けて 2 つ。画面の明るさと、通信頻度を抑えることだ。まず設定で画面の明るさを、手動で暗めに設定しておこう。以前と違い、「明るさの自動調整」はデフォルトでオンになっているが、この機能がバッテリーの持ちにどう作用しているのかは意見が別れているので、好みで選ぼう(オフにしたい場合は写真の解説を参照)。また自動ロック間隔も最短の 2 分にしておくこと。次に通信周りだが、3G/4G も Wi-Fi も使用しない場合は手っ取り早く機内モードにしてしまえば良い。またメールの取得方式は、「設定」>「メール」>「データの取得方法」でプッシュをオフにして、取得間隔も長めにしよう。通知センターで通知を許可しているアプリも、極力オフにしてしまおう。ほかに位置情報の設定も重要だ。位置情報サービスの項目で位置情報を利用するアプリを見直すことで、バッテリーの持ちが大きく改善されることが多い。

iPadのバッテリー消費を節約するための設定

画面の明るさを暗めに設定

設定の「画面表示と明るさ」のバーを暗めに設定しよう。なお、基本的に明るさの自動調整はオンになっているので、それを変更したい場合は設定→「アクセシビリティ」→「画面表示とテキストサイズ」→「明るさの自動調節」でオフにできる。

余計な位置情報サービスはオフ

設定→「プライバシー」→「位置情報サービス」で本当に位置情報が必要なアプリだけを吟味しよう。許可する場合でも多くの場合は「使用中のみ」で問題ない。

使わない通信サービスは切断

Wi-Fi や 3G/4G、Bluetooth は、使わないならオフにしておこう。個別にオフにしなくても、「機内モード」をオンにすればまとめて切断できる。

自分のiPadのバッテリー傾向を知っておこう。

「設定」>「バッテリー」で過去 24 時間(または 10 日間)のバッテリー使用状況を見ることができる。多く消費しているアプリや、バックグラウンドで作動するアプリを理解しておこう。

212

充電

純正の電源アダプタで
iPadを高速充電する

USBアダプタ／
ポートの供給電力に
注意！

最新のProやAirなど、USB-Cを除いたiPadを一般的なPCのUSBポートに接続すると、「充電停止中」と表示される。これはUSBポートの出力が2.5Wしかないためで、一応iPadがスリープ時にちょっとずつ充電されるが、かなり時間がかかる。iPhone用の電源アダプタ（5W）や、5.5WのハイパワーUSBポート搭載PCのUSBポートや、MacBook (13-inch, Late 2007)以降を使えば、もう少し高速で充電可能だ。最速で充電したいなら、きちんとiPad用の付属アダプタを使っていこう。

iPad Air／iPad mini
モデルの電源アダプタ
10W

ハイパワーUSBポート
5.5W

iPhone／旧iPad mini
の電源アダプタ
5W

通常のUSBポート
2.5W

電源アダプタで
充電する場合

iPadの充電は付属の電源アダプタを使うのが基本。ただ、iPhone付属の電源アダプタでも、少し時間はかかるが充電できる。

PCのUSBポートで
充電する場合

MacBookなどが備えるハイパワーUSBポートを使えば、iPhone付属の電源アダプタと同程度の時間で充電できる。通常のUSBポートもかなり時間はかかるが、一応iPadスリープ時のみ充電可能だ。

マスト！
213

ドック

Dockにアプリやフォルダを追加する

Macのように
よく使うアプリを
画面下部に設置する

iPadのホーム画面下に設置されているDockは機種によって設置できる数は異なるが、最低でも10個以上のアイコンを登録できる。またセパレートで区切られたDockの右側には「最近使ったアプリ」や「おすすめのアプリ」が自動で表示され、よく使うアプリに素早くアクセスできる。なお自分で登録できるアプリの数は、「設定」＞「ホーム画面とDock」＞「マルチタスクとDock」画面で「最近使ったアプリ」や「おすすめのアプリ」表示をオフにすることで増やすことが可能だ。

ドラッグ＆ドロップで
アプリを登録する

1 まるでMacOSのように
Dockを利用できる

12.9インチの場合では標準で15個のアプリを登録できる。iPad miniは11個登録可能。またセパレート右側には最近使ったアプリやおすすめアプリが自動で3個表示される。

最近使ったアプリ

2 最近使ったアプリを
非表示にするには？

「設定」アプリの「ホーム画面とDock」を開く。「おすすめApp／最近使用したAppをDockに表示」をオフにすれば、登録できるアプリの数を増やすことができる。

オフにする

214 アクセサリ ペーパーライクフィルムで Pencilの書き味を上げる

Apple Pencil を使う機会が多い人ならば、iPad の質感を紙のように変える「ペーパーライクフィルム」の使用を考えてもいいだろう。通常のフィルムではタッチが固く、滑りすぎるので紙にペンで書くのとは感触が違いすぎる。ペーパーライクフィルムなら滑りすぎることもなく、適度な抵抗があって書きやすいはずだ。ただ、画面の輝度やシャープさはある程度損なわれてしまうし、製品によってはペン先の摩耗も若干早まるとも言われているのでデメリットもある。

上質紙のような描き心地

極薄PET素材を採用

紙に書いているような描き心地を実現

JPフィルター専門製造所
iPad ペーパーライクフィルム　mini4/5、無印iPad、Proに対応。
実勢価格:1,200〜2,200円

iPadのペーパーライクフィルムの中で一番人気なのがこのフィルム。上質紙に書いている感覚で Pencil を使うことができる。ペン先の摩耗も配慮されていて70%低減しているという。貼り付けも簡単でフェルト製のiPadケースも付属している。

215 アクセサリ Pencilやケーブルを キャップで保護して使用する

Lightningケーブルは標準で先端部分がむき出しのため、持ち歩いているとカバンの中を摩擦して破損しがち。破損を防ぐには先端用の保護キャップを購入するのがよいだろう。Amazonなどで「Lightningケーブル先端用キャップ」と検索をしてみよう。かなりの数の保護キャップが現れる。またやぶれがちなケーブル根元部分を防護するには断線防止プロテクターを利用しよう。根元部分をがっちり保護できる。Apple純正のプロテクターは現在販売休止中だが、サードパーティ製の安価な製品が多数販売されている。

テクノベインズ Lightning ケーブル先端用キャップ (半透明) 6個/パック

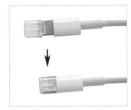

6個入りで500円程度の透明保護キャップが販売されているケースが多い。失くしても1個80円程度なので気にならないだろう。

AMAA 充電ケーブル プロテクター 断線防止 16個入り

Lightning ケーブルの根本の破損を防ぐケーブル保護カバー。Amazon ならば、16個入りで400円程度と激安だ。

216 基本 長押しを駆使して 素早いページ移動を行う

大量にアプリを入れている人なら間違いなく便利な小技!

iPadに大量のアプリを入れてしまい、ホーム画面が10ページを超えてしまっている人も多いだろう。そんな場合は、iPad下部のページネーション表示を長押ししてみよう。表示が変わったら、その部分をドラッグすると高速でページの移動が可能になる。また、「設定」などで深い階層まで進んだ場合も一気に戻ることができる。

1 ページネーション部分を 長押しする

表示が変わったらドラッグ

Dockのすぐ上にあるページネーション表示を長押しして、ドラッグする。高速でページ移動ができる。

2 「戻る」ボタンも 長押しに対応した

戻る階層を選択できる

アプリが変わった際や設定で深い階層に入った場合でも、「戻る」部分を長押しすることで階層が表示され、一気に戻ることができる。

217

周辺機器

低価格だがかなり使える
面白いタッチペン

3,000円台で購入でき
2018以降のiPad
すべてに対応!

　Apple Pencilは、第1世代でも10,800円と高価格だが、このペンならば3,000円台で購入でき、同じような用途に利用可能。特筆すべきはペアリング不要で、電源を入れれば、iPadが第1世代対応／第2世代対応のどちらでも使うことができる点だ。満充電から20時間使用でき、予備のペン先も1つ付属する。10,000円以上のPencilの購入をためらう人はこっちを選ぶのもいいだろう。

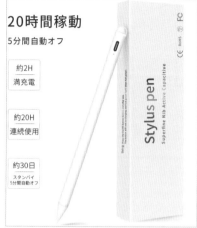

20時間稼動

5分間自動オフ

約2H	満充電
約20H	連続使用
約30日	スタンバイ 5分間自動オフ

Stylus pen
Superfine Nib Active Capacitive

1　一見、第二世代Pencilにも見える!

Yi-huang
2018以降対応 iPad スタイラス ペン
Amazon なら、現在 3,599 円で購入可能。評価も非常に高い。

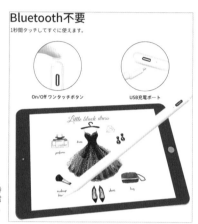

Bluetooth不要

1秒間タッチしてすぐに使えます。

On/Off ワンタッチボタン　　USB充電ポート

2　充電はUSB-Cで行う

充電はUSB-C端子で行い（変換ケーブル付属）、不使用時は5分で電源が自動でOFFになる。Apple Pencilと違って電源ボタンが存在する。パームリジェクションにも対応している。iPad Proのマグネット充電などには非対応だ。

218

周辺機器

Magic Keyboard非対応の
iPadでもトラックパッドが使える!

純正品ではないが
高級感あふれる
魅力的なキーボード!

　iPadOS 13からマウスやトラックパッドが使えるようになり、トラックパッドが装備されたMagic Keyboardも登場したが、Magic Keyboard非対応のiPadでもキーボード一体型のトラックパッドを使うことは可能だ。無印iPad（第7世代～）、iPad Air（第3世代）、iPad Pro 10.5インチならば、このLogicool製のキーボードケースが使用できる。

1　スマートコネクタ接続でスムーズ!

Logicool
Combo Touchキーボード
価格:18,600円（Amazon）
トラックパッドを備えたフルサイズのバックライト付きキーボードケース。

2　ほぼ純正品のように使える優れもの!

iPadの前面と背面を保護できるケースとして使え、柔軟な角度調整や、キーボード部分の着脱もでき、Apple Pencil（第一世代）用ホルダーも完備している。重さはMagic Keyboard並にあるが（笑）、満足度の高い製品ではないだろうか。

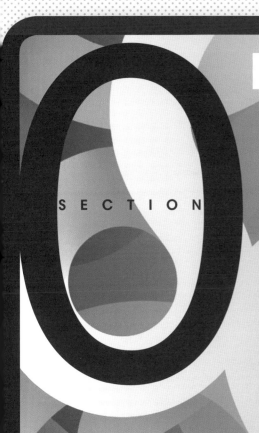

SECTION 07

生活
お役立ち技

いつも自分の側にあるiPadだからこそ、より普段の生活に
効率良く役立てたい。地図、乗換え、料理、図書館の利用、
マンガ閲覧などにもiPadは素晴らしく役に立つ。

219

ゲーム
コントローラー

iPadにゲーム機の
ゲームコントローラーを接続する

PS4やXbox One
コントローラーが
利用できる

　これまでiPhoneやiPadで
ゲームをプレイするには、MFI
認証済みのゲームパッドを
用意する必要があったが、
iPadOS 13以降は、PS4や
Xbox Oneをはじめとした、複数
の他社製ワイヤレスコントロー
ラーを使えるようになった。コン
トローラーでの操作は、ゲーム
アプリ側の対応が求められる
ため、すべてのゲームで利用
できるわけではないが、PS4の
リモートプレイでは利用可能。
「Apple Arcade」のゲームで
も、コントローラー対応タイトル
であれば利用できる。

1　PS4コントローラーを
　接続する

PS4とのペアリングを解除後、コントローラーの「PS」
ボタンと「SHARE」ボタンを同時に3秒ほど長押し。
「Bluetooth」の設定から「DUALSHOCK 4」を選べば
いい。

2　対応ゲームで
　コントローラーが使える

リモートプレイなど、コントローラー操作に対応しているゲー
ム・機能で利用できるようになる。

220

電子書籍

月400円で雑誌が読み放題の「dマガジン」

コンビニやキオスクに並ぶ人気雑誌が読める

「dマガジン」は、NTTドコモが運営している電子書籍のオンラインストア。月額400円（税抜）で「週刊文春」「週刊新潮」「週プレ」「女性セブン」など人気雑誌450誌以上の最新号が読み放題の人気サービスだ。ドコモユーザーでなくても会員登録すれば利用可能。しかも今なら、初回登録後31日間は無料で読み放題だ。

App

dマガジン
作者／株式会社NTTドコモ
カテゴリ／ブック　価格／無料

1 ウェブ上からドコモIDの登録を行う

dマガジンを利用するには、ドコモIDを取得する必要がある。公式サイトからドコモIDの取得を行った後、続いてdマガジンの各種初期登録を行おう。

2 iPadで雑誌を読み放題

登録後、dマガジンを再起動して取得したドコモIDでログイン。あとは表示される雑誌の表紙から好きなものをタップすればダウンロードして閲覧できる。

221

フリーマーケット

話題のフリーマーケットアプリを楽しもう

カメラ撮影して即出品できるのが魅力

日本最大のフリーマーケットサービス「メルカリ」の公式クライアント。出品方法が非常に簡単で誰でも参加できることで人気を伸ばしている。カメラで出品物を撮影したら、設定画面に従って商品説明を入力していくだけでよい。なお、利用登録にはSMSの受信が必要なので、事前にスマホからアカウントを発行しておく必要がある。

App

メルカリ
作者／Mercari, Inc.
カテゴリ／ショッピング　価格／無料

1 メルカリで出品物を購入する

出品物の購入はほかのショッピングサービスと変わらない。商品を探して気に入ったものがあれば購入ボタンをタップするだけだ。

2 メルカリに出品する

手持ちの品を出品する場合は、画面下部にあるカメラアイコンをタップして商品を撮影。その後表示される出品入力フォームに必要項目を記載していこう。

222

iPad管理

スクリーンタイムで
自分のアプリ利用時間を調べる

iPadの用途や
利用時間を
簡単に確認できる

どれだけ端末を操作していたか?どのアプリを操作していたか?といった画面を見ている時間をチェックできるのが「スクリーンタイム」機能だ。これは端末を使っている間、自動的に計測され、通知センターや「設定」→「スクリーンタイム」から確認することができる。「すべてのアクティビティ〜」からはiPadを持ち上げた回数まで知ることができる。また、iPhoneとiPadなど、複数の機器を所有している場合は、「デバイス間で共有」をオンにしておくと、全てのデバイスの時間が合計されたデータを確認できる。

1 スクリーンタイムをチェックする

「設定」→「スクリーンタイム」とタップすると画面を見ていた時間（スクリーンタイム）を確認できる。

2 アプリの利用時間を確認する

手順1で「すべてのアクティビティを確認する」名をタップすると、「週」や「日」ごとの時間、利用アプリを確認できる。

223

iPad管理

子供のアプリ利用時間を
スクリーンタイムで管理!

使いすぎ注意!
子供が利用できる
時間を決める

子供がYouTube に依存しすぎて困っている。という声も聞くようになった。こうしたときは「スクリーンタイム」機能でアプリの利用時間を制限するという対処も取れる。「設定」→「スクリーンタイム」→「App 使用時間の制限」→「制限を追加」とタップ。その後アプリのカテゴリを選び、「追加」をタップしよう。その後制限時間を設定すればいい。なお、ファミリーアカウントを設定してあれば、子供のアカウントの制限を管理することもできる。

1 制限するアプリの
カテゴリを決める

「設定」→「スクリーンタイム」→「App 使用時間の制限」→「制限を追加」とタップ。アプリのカテゴリやアプリを選んで時間を決める。

2 ファミリーアカウントの
制限を行なう

ファミリーの子供のアカウントをタップして選び、「スクリーンタイムをオンにする」をタップ。スクリーンタイムを有効化。アプリの制限時間などを設定していこう。

224

電子書籍

Apple Booksで
電子書籍を楽しもう

**購入した電子書籍を
効率的に読みやすく
管理できるようになった**

「Apple Books」 は Apple
が提供している電子書籍アプリ。
以前は「iBooks」という名前
だったが、2018 年にアプリの
名称が変更、またデザインや機
能も大幅に改善された。

アプリ起動後に表示される
「今すぐ読む」では、現在読書
中の本と最近読んだいくつかの
本を分類して表示してくれる。
複数冊の本を同時並行で読むの
が好きなユーザーに便利な機能
だ。また、「今すぐ読む」画面
下部ではユーザーの購入履歴に
基づくおすすめの電子書籍を
表示してくれる「Foy You」が
あり、自分好みの本を効率的に
探すことができる。

ブックストアも全面的にリ
ニューアルされている。書籍購
入画面では新しく「読みたい」
ボタンが追加され、あとで読み
たい本をブックマークできるよ
うになった。

購入した電子書籍は、これま
で「コレクション」でカテゴリ
別に分類していたが、この機能
は新しく追加された「ライブラ
リ」に統合された。「ライブラリ」
では以前に作成した「コレク
ション」カテゴリのほか、「読
みたい」に登録した書籍や読み
終えた本だけを表示させる「読
書済み」、「オーディオブック」
「PDF」などのカテゴリが用意
されている。

App

Apple Books
作者／Apple
標準アプリ

Apple Booksを使ってみよう

1 ブックストアで 書籍を探す

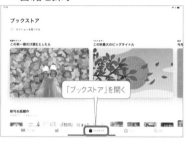

電子書籍を探してダウンロードするには「ブックストア」
タブを開く。新刊＆話題作やエディターおすすめの書籍な
ど、さまざまな条件で書籍を探すことができる。

2 「読みたい」をタップして 「読みたい」に登録する

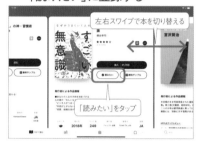

あとで購入するかもしれない本は「読みたい」をタップ。
コレクションの「読みたい」に追加される。左右スワイプ
でほかの本に素早く切り替えることができる。

3 複数の本を同時並行して 読むのに便利

「今すぐ読む」では現在開いている書籍と最近開いた書籍
が並べて表示される。同時並行でたくさんの本を読む人は、
本の切り替え作業が楽だ。

4 ユーザー好みの書籍を 表示してくれる「For You」

「今すぐ読む」の画面下部ではユーザーの閲覧履歴に基づ
いておすすめの本を表示する「For You」機能が追加され
ている。

5 新しくなった コレクション画面

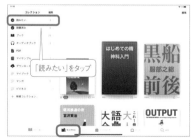

これまで作成したコレクションは新しく追加された「ライ
ブラリ」画面内にある。コレクションでは「読みたい」に
登録した本にアクセスすることもできる。

6 「読みたい」画面から 本を購入する

「読みたい」に登録した本が一覧表示される。価格ボタン
をタップすればダウンロード購入できる。

225

電子書籍　　Kindleで電子書籍を読む

「どこまで読んだっけ?」を覚えてくれる強力な同期機能

Amazonの電子書籍サービス「Kindle Store」上の電子書籍を閲覧するためのアプリ。利用しているAmazonアカウントでログインすると、購入した電子書籍が表示され、ダウンロードして閲覧できる。Whispersyncという同期機能が特徴で、Kindleで本を読んだ後、ほかの端末のKindleで同じ書籍を開くと、すぐに続きのページを表示してくれる。

App

Kindle
作者／AMZN Mobile LLC
価格／無料

1 電子書籍をダウンロード

利用しているAmazonアカウントでログインするとすぐに電子書籍を読める状態になる。無料で読めるものも多いので、まずはアプリをインストールしてみよう。タップすると端末にデータをダウンロードできる。

2 ダウンロードした電子書籍を閲覧する

電子書籍を開いた状態。Whispersyncという同期機能でほかの端末のKindleで読み進めたページの場所をすぐに開くことができる。ブックマークや注釈も同期できる。

上級技

226

電子書籍　　画面を見ずに、音声読み上げで電子書籍を楽しむ

音声機能を使えばリラックスして電子書籍が読める

電子書籍を長時間読んでいると、どうしても目が疲れてしまうし、その間は他の作業ができなくなるのが難点だ。そこでiPadに標準搭載されている音声読み上げ機能を使って、電子書籍を音声で読んでみよう。読み上げが不正確な場合もあるが、家事などの作業をしながら雑誌を読んだり、就寝前にベッドの中で短編小説を読むなど、「画面を見ない」ことで読書スタイルの幅が一気に広がる。

App

Kindle
作者／AMZN Mobile LLC
価格／無料

1 VoiceOverをホームボタン3回押しに設定

「VoiceOver」にチェックを入れる

設定を開き「アクセシビリティ」から「VoiceOver」へと進み「VoiceOver」にチェックを入れる。また「VoiceOver」設定で声の種類や速度、音量などを設定する。

2 2本指で下にスワイプすれば読み上げ開始

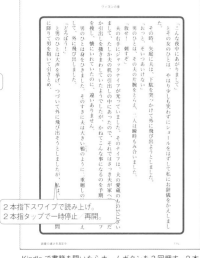

2本指下スワイプで読み上げ。
2本指タップで一時停止・再開。

Kindleで書籍を開いたらホームボタンを3回押す。2本指で下にスワイプすると、本の内容を音声で読んでくれる。読み終わったらホーム3回押しで元に戻す。

227

電子書籍

Amazonの読み放題サービス
Kindle Unlimitedを使ってみよう

月額980円で
電子書籍が
読み放題

「Kindle Unlimited」はAmazonが提供している980円で読み放題の電子書籍サービス。Amazonの書籍で「Kindle Unlimited」のアイコンが付いていれば、いくらでも無料でダウンロードして読むことが可能。ただし、同時に利用できるのは最大10冊まで。11冊目をダウンロードするには、以前、読んだタイトルの利用を終了する必要がある。Kindle Unlimited対象の書籍は「Kindle」アプリの「カタログ」から直接ダウンロードできる。

App

Kindle
作者／AMZN Mobile LLC
価格／無料

1 「カタログ」から読み放題の本を探す

「カタログ」から読み放題の本を探す

読み放題対象の本は、通常の本の購入と異なり、Kindleアプリの「カタログ」から直接検索してダウンロードして、素早く閲覧できる。

2 利用するにはAmazonのサイトから

Kindle Unlimited を有効にするにはブラウザでAmazon の Kindle Unlimited のサイトにアクセスして購読する必要がある。

228

マンガアプリ

無料のマンガアプリで
快適にマンガを楽しもう

毎日無料で読める
マンガアプリが
たくさんある!

iPadでは、毎日無料でマンガを読めるアプリがたくさんある。その多くは、毎日ポイントやコインが、マンガ数話分配布されるので、その分を無料で読めるシステムとなっている。メジャーなマンガが多く、最初のインストール時には大量のポイントがもらえる場合が多いので非常にお得だ!

App

マンガワン
作者／SHOGAKUKAN INC
価格／無料

1 マンガワンでは小学館のマンガを楽しめる!

カテゴリーで別れている

読みたいタイトルをクリック

「マンガワン」のトップページでは、「女子向け」「男子向け」「大人向け」などにマンガがカテゴリ分けされている。読みたいタイトルをクリックしよう。

2 紹介ページが表示されすぐに本編も読める

最初の1話はライフを消費しないものが多い

そのマンガの概要ページが表示され、すぐに第一話から読むことができる。1話を読むとライフが1つ消費するが、毎日9時と21時にライフが4つアップするので、毎日8話分マンガを読むことができる。多くのマンガアプリがだいたいこれに近い形式をとっているので他アプリも併用して無料のマンガライフを充実させることができる。

229

FAX送信　**iPadから無料でFAX送信できる**

写真もドキュメントも送信できるFAXアプリ

「FAX.de FreeFax」 は、1日1枚だけ無料でFAX送信ができるアプリ。起動後、送信したい書類をiPadカメラで撮影して画像データ化したら、相手のFAX番号を指定するだけで送信することができる。画像データだけでなく、テキストファイルやオフィスファイルなどを読み込んで送信も可能。

App

FAX.de FreeFax International
作者／Fax.de GmbH
価格／無料

1 「Send Fax」をタップ

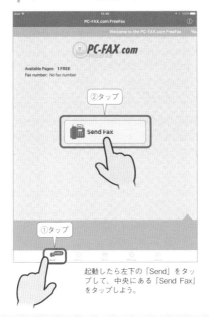

起動したら左下の「Send」をタップして、中央にある「Send Fax」をタップしよう。

2 FAX番号を入力する

中央部分に件名を入力。下に「+81」と記載されているが、その後に市外局番の「0」を除いた後ろのFAX番号を入力して送信しよう。

230

メモ　**無限に領域を拡大できる便利なメモ**

模造紙のように大きな一枚の紙にメモを描く

「MapNote」はiPadに手描きでメモするアプリ。ほかのノートアプリと異なるのはキャンバスのサイズが固定されていないこと。メモした内容の周囲に追記したくなったときは、画面を2本指でピンチインすることでキャンバスを拡大し、周囲の余白を増やすことが可能。模造紙にメモする感じだ。

App

MapNote
作者:Naoya Enokida
価格:250円

1 キャンバスに指で手描きする

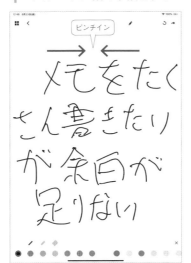

起動したら画面上に直接指で描いていこう。キャンバスの余白がなくなり、増やしたくなった場合はピンチインする。

2 筆やカラーの選択

するとキャンバスが拡大して描いたメモの周囲に余白が増えるので、増えた分だけさらにメモを追加できる。なお下部メニューから筆やカラーを変更できる。

231

ニュース

作業しながらでも最新のニュースを チェックできる音声ニュースアプリ

朝の身支度中や 家事をしながら ニュースをチェック

「アルキキ for iPad」は、朝日新聞の最新ニュースを音声で読み上げてくれるニュースアプリ。画面を見ずにニュースをチェックできるので、ちょっとした作業中でもしっかり最新トピックスを押さえられる。設定したタイミングで自動的に読み上げる機能も搭載されているのでアラーム代わりにニュース音声を流すといった使い方もできる。読み間違えもなく、BGM付きなので聴きやすい。

App

朝日新聞アルキキ for iPad
作者／株式会社 朝日新聞社
価格／無料

1 その日の最新ニュースを 音声で知らせてくれる

アプリを起動して再生ボタンをタップすれば、朝刊からピックアップされた主要ニュースを音声で読み上げてくれる。各ニュースは短くまとめられているので、5分もあればニュースのチェックは完了。

2 テキストでの ニュースチェックも可能

もちろんテキストによるニュースのチェックもできる。朝日新聞のサイトでニュースの詳細や他のニュースをチェックしよう。文字のサイズも大きく読みやすいので、シニア層にも快適。

232

間取り作成

高機能で楽しい 間取りアプリを使ってみよう

手書き感覚で 間取りを作成する

「まどりっち」は手書きでラフな住宅間取り図を簡単に作成できるアプリ。グリッドに沿って手書きで書き込んだ形状に応じて自動的に間取りの形に補正してくれる。作成された間取りには部屋の面積を平方で表示し、全体の坪数も表示してくれる。また、「リビング」や「寝室」などの頭文字を描くと部屋ボタンが表示され、タップすると部屋を設定することができる。

App

まどりっち
作者／福井コンピュータアーキテクト
株式会社
価格／無料

間取り作成ボタンをタップ

手書きで間取りを描く

1 手書きで間取りを描こう

起動したらメニューから間取り作成ボタンをタップして、手書きで間取りを描こう。形状に合わせて自動的に補正され間取り図が簡単に作れる。

部屋名を選択する

部屋名の頭文字を描く

2 部屋の名前を付ける

作成した部屋の内部に直接部屋名の頭文字を書くと、候補の部屋名が表示される。選択すると部屋名が入力される。

233 環境音
快適な音で睡眠を助ける「Sleep Orbit」

波の音や、鳥の鳴き声、焚き火や雨の音などを好きに組み合わせて睡眠導入に最適な環境音を作成できるアプリ。終了時間もタイマーで設定できるので鳴りっぱなしでウルサイこともない。無料版でも 40 種類の音を活用できるので充分だ。

App
Sleep Orbit
作者／SMB Studio
価格／無料

起動したら、鳴らせたい音をカテゴリーから選択しよう。雨、水、海、動物、キャンピングなどがオススメだ。

軌道を指で指定して、音のバランスや位置を細かく調整できる。基本的にはイヤフォンで再生した方が没入できるだろう。

234 学習
iPadで漢字力を向上させよう

現代はスマホやタブレットの普及で漢字を忘れがち。そこで「漢字検定・漢検漢字トレーニング」で漢字をもう一度学んでみよう。漢字の「よみ」や「部首・部首名」「送り仮名」「対義語・類義語」など多彩な知識を楽しみながら学べる。

App
漢字検定・漢検漢字トレーニング
作者／Gakko Net Inc.
価格／無料

漢字検定に準じたレベルの問題が用意されている。まずは 6 級から初めてみるといいだろう。

実力テストではランダムに 10 問のテストが行なわれる。「書き」問題では出題される漢字を画面に書こう。

235 視力向上
3Dステレオグラム画像を見るだけで視力が回復する

3D ステレオグラムを利用して、視力の回復を図るアプリ。ピントを合わせることを意識して表示される 3D 画像を見て脳内視力を鍛えるしくみだ。一日一回 3 分くらいするだけで、視力が回復したとの報告も多数寄せられている。

App
3D視力回復
作者／koikoi.biz
価格／120円

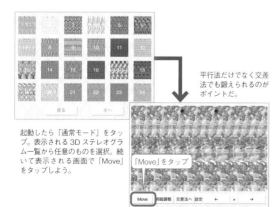

平行法だけでなく交差法でも鍛えられるのがポイントだ。

「Move」をタップ

起動したら「通常モード」をタップ。表示される 3D ステレオグラム一覧から任意のものを選択。続いて表示される画面で「Move」をタップしよう。

236 カラオケ
無料でカラオケの練習ができるアプリ

「分析採点 JOYSOUND」は、JOYSOUND のカラオケ 15 万曲が楽しめるカラオケアプリ。採点付きでカラオケに臨む前の練習として、歌いこむのにピッタリ。オンラインのランキング機能も楽しめる。月額 360 円となっているが、1 日 3 曲であれば無料で利用できる点も嬉しい。

App
分析採点 JOYSOUND
作者／XING INC.
価格／無料(月額360円)

キーワード検索はこちらから

JOYSOUND のランキングなどからも流行りの曲をチェックでき、歌いやすい曲やウケの良い曲などのランキングも多数ある。

1 日 3 曲、広告動画を視聴することで採点モードを利用できる。有料登録すれば採点し放題だ。

237

レシピ

動画で見られてわかりやすい
レシピアプリ「クラシル」

料理のプロが提案する
ハイクオリティで
わかりやすいレシピ

　38,000件を超える献立・デザートのレシピデータベースから、キーワードや人気食材でレシピを探せるレシピアプリが「クラシル」。特徴的なのが、調理過程を動画でチェックできるところ。調理の手順や調理方法をビジュアルで確認できるため、非常にわかりやすく親切なレシピアプリとなっている。

App

クラシル
販売元／dely, Inc.
価格／無料

1 キーワードでレシピを検索

キーワードを入力

作りたいものをタップ

検索欄に食材や料理名など、キーワードを入力して検索。作ってみたいものを選ぼう。

2 レシピの動画をチェックする

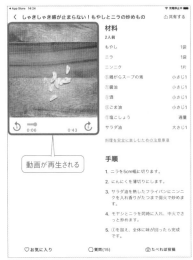

動画が再生される

レシピの動画が再生される。調理過程から完成まで、しっかりと映像で手順を確認できる。

238

レシピ

旬の食材のレシピや
食材知識を得られる「e食材辞典」

レシピだけじゃなく
食材選びの
ポイントがわかる!

　760以上の食材を収録し、3,800以上のレシピを動画などでもチェックできるレシピアプリ。特徴的なのが、食材を購入する際の選び方のポイント、調理法、保存方法、食材の特徴、品種や由来など。さまざまな情報を確認できるところ。お料理や食材への理解度が深まるので、「食育」的な側面があるアプリとなっている。

App

e食材辞典 for iPad
販売元／DAIICHI SANKYO
COMPANY, LIMITED
価格／無料

テーマから食材を選ぶ

1 テーマごとに食材を選択

リストからテーマごとに食材を選ぼう。まずは「旬の食材はこれ!」から、季節の食材を選ぶといい。

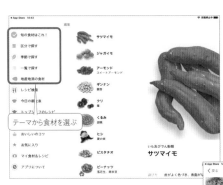

作り方の動画をチェック

スクロールするとレシピを確認できる

2 レシピの動画をチェックする

レシピは材料・手順に加えて、YouTube動画を通じて作り方をチェックすることができる。

239

レシピ

献立が10秒で決められる 便利アプリを使おう!

毎日悩む献立を アプリで 考えちゃおう!

家族の食事を用意するとなると、毎日の献立に頭を悩ませることも。誰かが決めてくれたら楽なのに……といった悩みに応えてくれるのがこの「タベリー」だ。利用したい食材や食べる人数を選ぶと、条件に合った多種多様なレシピを提案。足りない食材は買い物リストに追加することもできる。日本全国の献立に悩む人たち必携のアプリだ。

App

タベリー
作者名／10X, Inc.
価格／無料

1 好きな料理を選んでみよう!

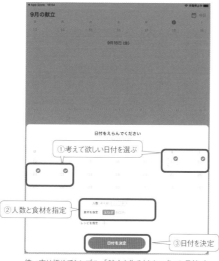

①考えて欲しい日付を選ぶ

②人数と食材を指定

③日付を決定

使い方は極めてシンプル。「献立を作る」をタップして、日付・人数・食材を設定するだけでいい。

2 献立が提案される

チェンジ

気に入らないメニューはチェンジできる

献立を予定に追加でき、後ほど確認できる

食材に合わせて献立が提案される。あくまでも「提案」なので、気に入らないメニューは変更も可能だ。

240

マスト!

ショッピング

近所のチラシをiPadで見る

オンラインで 広告チラシを 閲覧できる

最近は新聞を取らない家庭も増えているが、そのような人でも地域の折り込みチラシを閲覧することができるアプリ。GPSや郵便番号などで地域のチラシを探すことができる。じっくり見たいチラシだけを選り分ける作業があるのも面白い。このアプリでセール情報を逃さないようにしよう!

App

シュフーチラシアプリ
作者／ONE COMPATH CO., LTD.
価格／無料

1 チラシを ダウンロードする

起動したらGPS情報を元にしてマイエリアを設定。周囲のチラシが一覧表示されるので見たいチラシをタップしよう。

2 チラシを閲覧する

チラシは見やすいように拡大・縮小で動かせる。裏面がある場合は下部の「めくる」をタップするとひっくり返すことができる。

翻訳

241 旅行先で便利な リアルタイム翻訳を使おう

海外旅行で効率よくコミュニケーションをとるのに便利な翻訳アプリ。翻訳先の言語を指定した後、iPadのマイクに向かって話しかけると翻訳を表示してくれ、また音声で読み上げることも可能だ。さまざまな言語が利用でき、旅先での安心感につながるアプリ。

App

音声翻訳 & 音声通訳
作者／Apalon Apps
価格／無料

スピーカーマークをタップして音声入力。入力後、指定された言語に変換して読み上げられる。

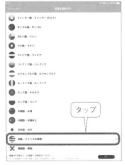

タップ

言語の変更は国旗マークをタップ。さまざまな言語が用意されている。

翻訳

242 英語の看板や文書を リアルタイムで日本語に翻訳する

定番翻訳アプリとして人気の「Google 翻訳」ではリアルタイム翻訳機能が利用できる。iPadのカメラで英語テキストを写すだけで自動で日本語翻訳してくれる。精度はまだ低く文法をきれいに翻訳するのは難しいが、単語程度なら問題ない。特に海外旅行でショッピングをするときなどに役立つだろう。

App

Google翻訳
作者／Google,Inc
価格／無料

カメラアイコンをタップする

翻訳元と翻訳先を設定する

起動したら翻訳元を「英語」に、翻訳先を「日本語」に設定する。カメラアイコンをタップする。

カメラが起動したら、英語テキストをかざしてみよう。自動的に日本語に翻訳される。

翻訳

243 メニューやトリセツを 翻訳して内容をコピーする

海外旅行では、レストランのメニューやホテル備品の説明書を翻訳して「メモ」にテキストとしてコピーしておくと、内容をすぐに確認できて便利。この場合も「Google翻訳」を使おう。「スキャン」モードで文字を撮影。指でドラッグした範囲を認識・翻訳してくれる。

App

Google翻訳
作者／Google, Inc.
価格／無料

翻訳結果を見る

範囲をドラッグして決める

「カメラ入力」→「スキャン」とタップし、文字を撮影。翻訳範囲度をドラッグで指定する。

言語の変更

翻訳結果が表示される

翻訳結果が表示される。テキストで表示されるので、コピーなども可能だ。

図書検索

244 近所にある図書館の 蔵書を自宅から調べる

よく行く図書館を登録して、蔵書を検索できるアプリ。検索結果から図書の予約（図書館が対応している場合）することもできる。書名を入力して所蔵している図書館を探すこともでき、また位置情報を使って近辺の図書館を検索することもできるので、本好きは要チェック！

App

ライブラリアン
作者／shinichi tanimoto
価格／無料
言語／日本語

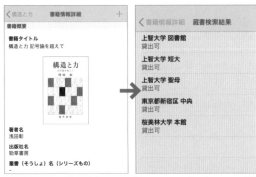

以前は iPad 専用アプリも存在したが、現在は iPhone アプリとなっている（機能は同じ）。

245

FaceTime

いつでもどこでも FaceTimeを楽しもう

iPadの大画面で ビデオ通話ができる FaceTimeを活用!

iPad には iPhone のような通話機能は搭載されていないが、標準アプリ「FaceTime」を利用することで、iOS デバイス間でビデオ通話や、LINE のような音声通話が利用できる。Wi-Fi でも 4G・5G などのモバイルデータでも利用できるのが魅力だ。また、他のビデオ通話アプリよりも、比較的に音質・画質共に良好で、Wi-Fi などで通信環境が安定しているなら、高音質・高画質通話が利用できるのも魅力となっている。

標準で FaceTime は有効になっている場合がほとんどだが、利用できない場合は「設定」→「FaceTime」から機能をオンにすればいい。また、ここでは発着信に利用する連絡先情報を変更できる。標準では Apple ID に関連付けられた電話番号・メールアドレスが自動的に割り当てられているので、変更は不要。ただし、「発信者番号」は他の iOS 機器と統一しておいたほうが、着信側でトラブルが少なくなる。

またビデオ機能を除いた音声だけの FaceTime 機能「Face Time オーディオ」も便利。通常の電話とまるで変わらず無料で利用できる FaceTime オーディオは電話代の節約にもなりとても便利だ。通話時にホームボタンを押すことで「ピクチャ・イン・ピクチャ」モードとなり、他のアプリを使いながらビデオ通話を楽しむことも可能だ。

ビデオ通話だけでなく音声通話も可能

1 FaceTimeの 有効とアドレスを確認

オンにする

発着信に利用するApple IDに関連付けられた電話番号・メールアドレス

「設定」→「FaceTime」から機能が有効になっていることを確認。発着信の連絡先情報も確認しておこう。

2 FaceTimeでビデオ通話 してみよう

①「+」ボタンから宛先を決める

②オーディオ・ビデオを選択

FaceTimeアプリで「+」ボタンから通話相手を指定して、FaceTimeを発信できる。また、「連絡先」からも発信が可能。好きな方を選ぼう。

「連絡先」からも発信できる

自分の映像

通話画面の写真を撮影できる（相手にも通知が届く）

画面をタップすると終了ボタンやカメラのオン・オフ、反転、消音などのメニューが表示される

3 ビデオ通話を楽しむ

相手が FaceTime に応答すれば、ビデオ通話や音声通話が開始される。ビデオ通話の場合は画面右上に自分の映像が表示され、左下から終話やカメラの切り替えなどが可能。

 point

グループで制限時間なく 通話できるから オンライン飲み会にも便利!

FaceTimeは手順2の相手を選ぶ画面で、複数人を追加することでグループビデオ通話も楽しめる。オンライン飲み会といえばZoomがメジャーだが、FaceTimeであれば通話品質も高く、制限時間もないので、Appleデバイスユーザー間で楽しむならFaceTimeを使ってみよう。

宛先を決めるときに複数人を追加すれば、iPad・iPhone・MacユーザーなどとグループでFaceTimeを楽しめる。

246

家計簿

口座やポイントの残高を一元管理できる

銀行口座の支出情報を自動インポート

自分の総資産の支出管理に便利なのが「Moneytree」だ。利用している銀行口座を入力すると預金残高情報をiPadにインポートして表示するだけでなく、出金や入金があるたびに自動で決済記録をつけてくれる。クレジットカードやポイントカードの決済記録も付けることが可能だ。

App

Moneytree
作者／Moneytree
価格／無料

通知ボタンをタップ

1 決済の通知

登録した口座で決済が発生すると、左上にある通知画面で決済の詳細取引を通知してくれるので、自分で口座にログインする必要はない。また、月に1回、前月の収支内容をまとめたレポートが届き、月ごとの収入と支出のバランスをひと目で確認できる。

設定ボタンをタップ

2 口座の登録

インポートする口座情報を登録するには、右上にある設定ボタンをタップしよう。銀行口座だけでなく、クレジットカードやポイントカードの登録もできる。

247

確定申告

確定申告の準備もiPadならラクラクできる

家計簿を付けるようにラクラクと記帳ができる

「Taxnote」は、勘定項目と金額を指定するだけで、簡単に記帳が行えるアプリ。電卓のようなシンプルなデザインで、家計簿を付けるように仕訳帳の記帳ができる。作成した仕訳帳は「弥生会計」や「freee」などの会計ソフトのデータ形式で書きだすこともできる。無料版は月の入力数が15件と制限がある。

App

青色申告・白色申告の仕訳帳 Taxnote
作者／Umemoto Non
価格／無料

1 仕訳帳を作成する

起動後、下部メニューから「入力」を選択して入力する勘定項目をタップ。金額入力画面が現れるので、収支の金額を入力して「仕訳帳に記録」をタップしよう。

2 データを出力する

「本帳簿の出力・印刷」をタップ

出力形式を選べる

会計ソフトなどへ出力するには、「仕訳帳」画面でアクションボタンから「本帳簿の出力・印刷」をタップ。出力する形式・期間を選び「出力する」をタップしよう。

248

スポーツ

セリエAやNBAなど世界中の
スポーツが楽しめる動画配信サービス

月額1,750円で見放題
ドコモユーザーなら
さらにお得

「DAZN」はスポーツ専用の動画配信サービス。月額1,900円で、プロ野球、サッカー、バスケなどあらゆる世界中のスポーツ放送を視聴することができる。バスケであればNBA、サッカーであればセリエAなど、どのジャンルも見応えあり。ドコモと提携しており、ドコモユーザーの場合は割引価格で視聴可能だ。

利用するにはアカウント登録が必要だが、dアカウントでも利用できる。なおアカウント登録後1ヶ月間は無料で視聴でき、1ヶ月以内にアカウントを退会すれば料金は発生しない。

App

DAZN
作者／DAZN
価格／無料（月額1,750円〜）

年間6,000以上のスポーツ中継をいつでも再生できる。DAZNはiPadだけでなく、スマホ、PC、ゲーム機などあらゆるデバイスで視聴可能だ。

Siri

249
Siriを使ってスポーツの
結果などを表示する

スポーツ観戦が好きな人にとって便利なのがSiriのスコア検索。野球の試合結果などを手軽に調べることができる。たとえば「プロ野球の結果」と話しかけると前日の試合結果を一覧表示でき、「プロ野球の予定」と話しかければ、今日のプロ野球の試合日程の一覧表示が可能だ。各球団の選手リストを一覧表示することもできる。ほかにも、Jリーグ、メジャーリーグ、サッカー欧州リーグ、アメリカプロバスケットボール、ナショナル・ホッケー・リーグなどにも対応。

プロ野球の結果

「プロ野球の結果」と話すと前日のプロ野球の結果を一覧表示

選手

球団名の後に「選手」と話すと、その球団の選手リストを表示

マスト!

Siri

250
目的地までの道のりを
Siriで素早くマップ表示する

経路検索アプリを使うときに煩わしく感じるのが、目的地名の文字入力。特にカーナビなど運転中など手が離せないときに不便だ。そこでSiriを使おう。Siriを起動して「○○に行くには?」「○○までナビ」と話しかけると、標準マップアプリが起動し、目的地までのルートを表示。さらにそのままカーナビ画面に自動で移行もしてくれる。「Hey Siri」機能とあわせて使えば、ハンズフリーでマップアプリの利用が可能だ。なお、車だけでなく交通機関の選択も可能だ。

行き先は?

Siriを起動したら「○○に行くには?」や「○○までナビ」と話しかけよう。

「マップ」アプリが起動して、ルートを表示してくれる。車、徒歩、電車やバスなど交通機関を使ったルートを切り替えて表示できる。

251

ナビゲーション

Googleマップのストリートビューで世界中の名所を擬似ドライブする

ストリートビューで世界中の風景を楽しもう

「Google マップ」の優れている点は、マップ上のある地点をタップするとその地点を撮影した写真を立体的に視聴できる「ストリートビュー」機能。iPad を通して世界中の道路を擬似ドライブして楽しめるほか、世界の名所を巡ったり絶景を眺めることができる。一部の博物館や競技場、レストラン、お店といった施設の中の様子も見ることも可能なので、訪問先の店を事前にチェックするにも役立つだろう。

App

Googleマップ
作者／Google,Inc.
価格／無料

1 道路部分を長押しする

ストリートビューを表示したい道路部分を長押しする。次に左メニューからストリートビューの写真をタップする。

①長押しする

②ストリートビュー写真をタップする

2 ストリートビュー画面を操作する

ストリートビュー画面に切り替わる。左右上下スワイプで方向を切り替えられる。画面をダブルタップすると前方に進む。

マスト！

252

マップ

マップで調べたスポットを「よく使う項目」に登録しておく

よく行く場所は「よく使う項目」に保存する

「マップ」アプリを使っていて、よく開く場所がある場合は「よく使う項目」に登録しておこう。お気に入りの場所を、「よく使う項目」に登録するには、ロングタップでピンを立てた後に表示されるメニューから「よく使う項目に追加」（★の追加マーク）を選択すれば登録することが可能だ。登録した「よく使う項目」は検索メニューを展開すると呼び出せる。なお、「よく使う項目」に登録しておけば、次ページで紹介しているナビ機能を使って経路を調べることができる。

1 ロングタップでピンを立てる

ピンを立てる

★マークをタップ

任意の場所をロングタップするとピンが立つ。同時に表示されるメニューから「★」をタップして保存する。

2 「よく使う項目」を呼び出す

追加した「よく使う項目」へ素早くアクセスできる

「よく使う項目」は、上部のメニューに収まっている。「すべて見る」ですべての保存場所を確認できる。

253

マップ

大幅にアップデートされた
純正地図アプリを使いこなそう

**バスや電車を利用した
ルート検索に対応
操作性も向上した「マップ」**

iPadの標準地図アプリ「マップ」はしばらく地味なアップデートが続いていたが、2020年8月に日本向けの大型アップデートがあったこともあり、かなり進化している。ランドカバー（地形情報）が充実し、山なのか平野なのか市街地なのか、それらがひと目で判断しやすくなった。また車道や歩道の情報量も大幅にアップしている。インターチェンジなどの情報はもちろん、公園内の細い通路などもかなりカバーされている。

公共交通機関を利用した経路検索も、道路情報の充実に伴い、より正確になっている。出発地点（または現在地）と目的地を指定すれば、徒歩や自動車のルートだけでなく、電車やバスを利用した経路も表示してくれる。現在時刻と連動して直近の発車時刻を確認することもできる。

今回、もっとも大幅にアップデータされたのは、Apple版ストリートビューである「ルックアラウンド」だ。以前は海外のごく一部にしか対応していなかったが、日本の多くのエリアに対応している。表示される画像の鮮明さは、明らかにストリートビューを超えており、操作性もよい。観光地には特に重点的に装備されているようなのでチェックしてみよう。

操作性の特徴としては、地図上を二回連続タップした後、指を離さず上下にスライドすることで地図を拡大縮小することができる機能は特に便利。指一本で操作できるので片手でiPadを操作したいときに便利だ。

マップの便利な機能を使いこなそう

1 交通機関での経路を検索する

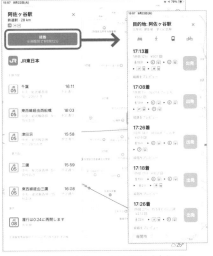

マップ画面左上にある入力フォームに目的地を入力するか、マップ上を直接タップする。目的地情報が表示されたら「経路」をタップする。アイコンで車、徒歩、公共交通機関などから選択すればよい。

2 乗り換え駅や発車時刻もわかる

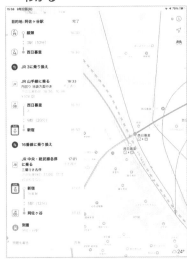

表示されたルートの「経路のプレビュー」をタップすると、その目的地までのルートの詳細が表示される。乗り換え駅名だけでなく区間の料金、乗車時間、現在時刻と連動した発車時間まで表示できる。

3 かなり素晴らしく進化したルックアラウンド！

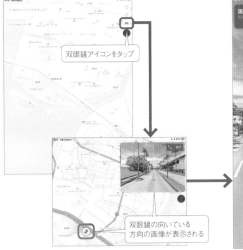

双眼鏡アイコンをタップ

双眼鏡の向いている方向の画像が表示される

ルックアラウンドを使うには、地図をある程度拡大していくと右上に双眼鏡マークが現れるので、それをタップすればよい。地図をドラッグすると、双眼鏡のある位置がキレイな画像で表示される。画像をドラッグすると360°周囲を見ることが可能だ。

上下左右にドラッグできる

ルックアラウンドの画像はフルスクリーンにも対応している。明らかにストリートビューよりキレイで、繋ぎ目もわからない。行きたいエリアの下見などにも最適だ。

254

乗換案内

複雑な条件に対応できる
最高の乗換案内は?

電車などの
交通機関の乗換は
アプリにお任せ

今では乗換案内アプリは、どのアプリの完成度も高いが、ここでは細部にまで配慮の行き届いた「乗換NAVITIME」を紹介しよう。このアプリなら、路線図からのワンタッチ駅指定や、混雑度表示、乗降アラーム、交通費メモなど、あらゆる部分をキメ細かく活用できる。

App

乗換NAVITIME
作者／NAVITIME JAPAN
CO.,LTD.
価格／無料　言語／日本語

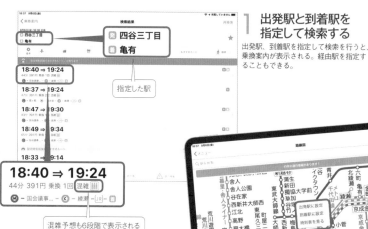

指定した駅

18:40 ⇒ 19:24
44分 391円 乗換1回 混雑

混雑予想も6段階で表示される

1 出発駅と到着駅を
指定して検索する

出発駅、到着駅を指定して検索を行うと、乗換案内が表示される。経由駅を指定することもできる。

出発駅に設定
到着駅に設定
時刻表を見る

2 路線図から
駅を指定する

画面上の路線図の駅をタップすれば、出発駅や到着駅を指定できる。路線図はピンチイン・アウトで拡大縮小が可能。

上級技

255

AR機能

使わないのはもったいない!
無料で使える3Dスキャンアプリ

本気で未来の到来を
体感できるiPad Pro
のLiDARスキャナ!

2020年発売の最新iPad Proを所有しているならぜひ試して欲しいのが3Dスキャナアプリ。「3d Scanner App」なら無料で3Dスキャンを行い、結果をSTLやOBJファイルとして保存、PCでの加工も可能だ。自分の部屋全体をスキャンしたり、お気に入りの家具や趣味のものをスキャンして楽しめる。

App

3d Scanner App
作者／Laan Labs
価格／無料　言語／英語

1 LiDARスキャナは
凄い機能!

iDARとは、光を発して、その光が物体に反射して戻ってくるまでの時間を測定して奥行きを計測できる機能。高精度なLiDARスキャナとiPad Proの高速CPUで、驚きの3Dスキャンが可能になる。

2 iPadの底知れぬ
潜在力に驚愕!

この画像だけではあまりその凄さを実感できないかもしれないが、YouTubeで「LiDAR」やこのアプリ名で検索してみれば、その実力がわかるだろう。使いみちはどこにあるか、それも何度がスキャンを試してみればわかるかもしれない。

256

計測

iPadでものの大きさ、距離が測れる「計測アプリ」

iPadのカメラと拡張現実技術で物体の長さを測定する

iOS 12以降、「計測」アプリという新しい標準アプリが追加されている。このアプリを使えば、iPadのカメラと拡張現実（AR）を利用して、物体のおおよその長さを測ることができる。アプリを起動したら測定したい部分の始点を決め、iPadを動かすだけで始点からの距離をインチとセンチメートルで自動的に表示してくれる。定規やメジャー代わりに利用するのもよいが、手の届かない高い場所にある物体の長さを測るときに役立つだろう。測定した距離の値はクリップボードにコピーできるほか、物体と計測値を収めた写真を撮影して保存することができる。

1 計測アプリを起動して距離を計測する

「計測」アプリを起動したら表示されるウィザードに従い、計測したい対象の始点を決め「＋」をタップする。そのままiPadを動かすと始点から現在の画面の中心までの距離が表示される。

2 測定値をコピーする

表示された測定値をタップするとインチとセンチメートルで距離が表示される。「コピー」をタップするとクリップボードに選択している方の単位の測定値がコピーされる。

257

マスト！

Siri

素早くメモを取るならSiriに話しかけよう

メモもリマインダーもSiriを使って素早く登録できる

「メモ」アプリは便利だが、毎回新規作成画面を起動するのは煩わしい。簡単な内容であればSiriに話しかけたほうが効率よくメモを取れる。Siriを起動後、「メモする」と話した後に少し間を置いてメモ内容を伝えよう。しっかりとメモをとってくれる。

メモする内容を通知してほしい場合は、「覚えておいて」と話した後にメモ内容を話しかけよう。「リマインダー」アプリにメモ内容が登録され、指定した時刻に通知してくれる。

1 Siriを使って「メモ」を登録

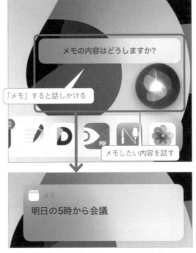

Siri起動後「メモする」と話しかける。しばらくしてメモ内容を話すと、「はい、メモを追加しました」という声とともにメモアプリに内容を記録してくれる。

2 Siriを使ってリマインダー登録

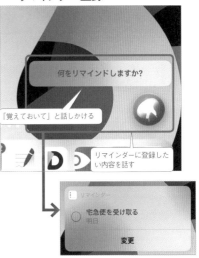

Siri起動後「覚えておいて」と話しかける。しばらくしてリマインドしたい内容を話すと、「わかりました」の声とともにリマインダーアプリに内容を記録し、あとで通知もしてくれる。

258 世界地図
世界各国の形や配置が覚えられるパズル

ジグソーパズル感覚で世界の国を覚えることができるゲーム。子供はもちろん、大人でも世界の国々の形や配置はなかなか頭に入らないものなので、空き時間にゲーム感覚で楽しむのに向いている。

とても始めやすい、主要20カ国をランダムにピックアップした「クイック」をはじめ、「エリア」「サッカー強豪国」「人気

海外旅行先」「コーヒー豆産地」などモードを選ぶことができ、飽きずに繰り返し楽しめる。境界線のない「エキスパート」モードも非常にマニアックで面白い。

App

あそんでまなべる
世界地図パズル
作者／Digital Gene
価格／無料　言語／日本語

259 上級技 Touch ID
家族でiPadを共有する場合Touch IDは全員分を登録しよう

家庭内で一台のiPadを共有している場合、ロック解除のたびに所有者がTouch IDで解除するのは面倒だ。そこで、iPadを使用するユーザーの指紋を全て登録しておけば、ロック解除の手間が大幅に軽減する。指紋データは最大5つまで登録できるので、十分対応できるだろう。

ただしTouch IDはiPadのロック解除だけでなく、ストアでの買い物にも使用できるので、特に子供が勝手に課金しないように、設定＞「Touch IDとパスコード」で「Apple Pay」と「iTunes StoreとApp Store」をオフに設定しておこう。

Apple Payやパスワードの自動入力などをオフに

使うユーザーの指紋を登録する

指紋は最大5つまで登録できるので、使用するユーザー分を登録しておける。Apple IDや設定の使い分けはできないので注意しよう。

260 マスト！ iPad管理
子供たちに触らせたくない部分を指定してロック

iPadを子供でも安全に使えるように設定する

飲み込みの速い子供は、タブレットなどのデバイスをすぐに使いこなせるようになるが、反面、あまり好ましくないアプリを起動したり、危険なサイトや動画を見てしまう可能性もある。そんなときに役立つのが、アプリの「コンテンツとプライバシーの制限」だ。これを設定すると、指定したアプリを起動するのにパスコードを設定したり、推奨年齢が定められたアプリの起動を許可しないようにすることができる。お子さんのいる家庭で、家族全員がiPadを使用するような場合には、ぜひ設定しておくといいだろう。

1 「コンテンツとプライバシーの制限」をオンにする

タップ

設定の「スクリーンタイム」をタップして、「コンテンツとプライバシーの制限」をタップする。

2 項目を個別に設定する

アプリのインストールに制限をかけたり、アプリやムービーのレーティングを制限するなどの設定を行うことが可能だ。

08

トラブル解決と
メンテナンス

iPadを紛失してしまったときや、フリーズさせてしまった
とき、起動しなくなってしまったとき、容量やアプリの
トラブルなどに、安全に対処するための解決法を解説。

上級技!

261 　トラブル　 Face IDでの認証が
うまくいかない場合は?

半分だけマスクで
隠した状態で
Face IDを登録する

　iPad ProにはiPadに顔を向けた
だけですぐにロック解除できる「Face
ID」機能がある。しかし、マスクを日
常的に着用する状況になって以来、
iPadがFace IDを認識してくれない
というトラブルが多発している。

　マスクを付けたままFace IDを使っ
てロック解除する方法はいくつかある。
1つはマスクを半分に折った状態で
付け、Face IDに登録する方法だ。

　普通にマスクを付けて登録しよう
とすると顔を覆っているものがあるた
め登録できないという警告が表示さ
れる。しかし、マスクを左右半分に折
り、片耳にマスクの紐をかけちょうど
半分だけ顔を隠した状態であれば登
録することが可能だ。

1 マスクを半折にして
半分隠して撮影する

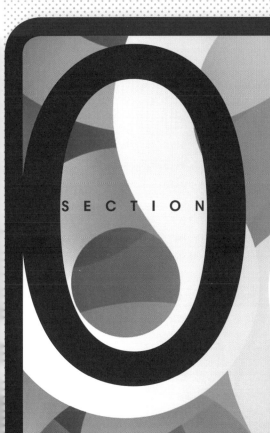

ゆっくりと顔を動かして円を描いてください。

鼻先と唇が半分隠れるくらいなら認識できる

マスクを左右半分に折り、片耳にマスクの紐をかけちょうど半分
だけ顔を隠した状態でFace IDを作成する。

2 もう一度Face IDを登録する

タップ

もちろんiPhoneでも
使えるテクニック!

片方の顔を登録したら、設定画面に戻り、「もう一つの容姿を
セットアップ」をタップし、反対側の耳にマスクの紐をかけてちょ
うど半分だけ顔を隠した状態でFace IDを作成しよう。

262 [Touch ID] Touch IDの認識が
うまくいかない原因と対策

指の状態や
ボタンの汚れを
確認してみよう

パスコードと比べ、ロック解除が簡単でセキュリティも高い Touch ID。対応している iPad ならぜひ設定して活用したい機能だが、せっかく設定したのにうまく指紋が認識されずイライラしてしまうことも多い。Touch ID の認識が悪くなる主な要因は 2 つ。指紋を登録するときや認識させる時の「指の状態」が原因の場合と、ホームボタンが汚れている場合だ。指先が乾燥していたり汚れていると、正確なデータを登録できなかったり認識に失敗しやすい。ホームボタンは常にクリーニングしておき、できるだけ状態の良い指の指紋を登録してスキャンするようにしよう。

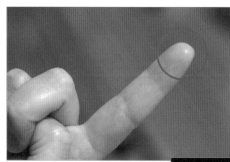

1 指先の乾燥や傷、
汗や汚れが原因

指紋を登録したりスキャンするときに、指先が汚れていたり、乾燥や傷などがあるとうまく認識できない。複数の指紋を登録しておこう。

2 ホームボタンの
汚れもチェック

ホームボタンはよく押すだけに汚れやすい。指紋を登録するときやスキャンするときは、ホームボタンに汚れがないかチェックしよう。

---

263 [購読] サブスクリプションの
契約を解除するには?

マスト!

購読している
アプリの
支払いを管理する

App Store でダウンロードするアプリの中には、定期ごとに自動引き落としされる購読型のアプリがある。代表的なのは Apple Music や iCloud ストレージだ。購読しているアプリの購読の解除を行うには、iPad の「設定」アプリの「アカウント」画面にある「サブスクリプション」メニューをタップしよう。

現在、または過去に購読したアプリが一覧表示される。購読中のアプリを選択して、購読を解除しよう。また、ここでは逆に新たに購読しなおしたり、購読プランの変更も行える。

1 サブスクリプション画面を開く

iPadの「設定」アプリの「アカウント」画面にある「サブスクリプション」メニューをタップする。

タップ

2 購読アプリのプランを
変更する

購読しているアプリが一覧表示される。プランを変更、または解除したいアプリを選択するとメニューが表示される。

プランを変更する

バックアップ
264 iPadのバックアップを iCloud上に作成する

「iCloud バックアップ」を オンにすると、iPad が電源接 続／ロック／Wi-Fi 接続され た時に、写真をはじめ各種デー タが自動バックアップされる。 「今すぐバックアップを作成」 をタップすれば、手動ですぐ バックアップすることも可能だ。 また iCloud だけでなくパソ コンにもバックアップを作成し ておきたい場合は、ミュージッ クのデバイス管理画面で「一般」 タブを開き、「今すぐバックアッ プ」を実行しておこう。

有効にする

iPad の「設定」画面を開き、「Apple ID」→「iCloud」で「iCloud バックアップ」を有効にしよう。Wi-Fi 接続時のみ自動で iCloud にバックアップされる。

Lightningケーブル
265 Lightningケーブルを 無料で交換する方法

iPad購入時に同梱されてい るLightningケーブルは、iPad を充電したりパソコンと接続し てデータのやり取りを行うため の大切なものだが、耐久性が低 くすぐにちぎれてしまうのが問 題だ。新規に購入して買い換え るのもよいが、1年以内に購入 したiPadであればアップルで 無料で配送交換することが可能 だ。iPadのシリアル番号を チェックし、アップルのサポー トサイトにアクセスして交換手 続きを行おう。

iPad のシリアル番号を調べ るには「設定」→「一般」→ 「情報」の「シリアル番号」 をチェックしよう。

Apple の「保証状況の確認」 のページでシリアル番号を入 力してログイン。あとは Apple サポートの「お問い合 わせ」から無償交換の問い合 わせをしよう。

ストレージ
266 空き容量が足りなくなったら データの一時削除

iPadOS で USB メモリを 扱いやすくなったものの、基本 的には単体で使いたいもの。容 量が足りなくなってきたら、何 かを削除して空きスペースを作 るしかない。同じ Apple ID で 購入したアプリは、いつでも再 ダウンロード可能なので、あま り使わないのなら容量が大きい アプリから順に削除しよう。自 分でどの項目を削除していいか わからない場合は、「おすすめ」 に表示される項目を優先的に削 除しよう。設定の「一般」→ 「iPad ストレージ」から行える。

おすすめの削除項目 が表示される

手動でアプリを選択 して削除する

設定の「一般」→「iPad ストレー ジ」で、使用容量が大きい順に アプリが表示される。また前回 使用した日にちも表示されるの で削除の目安になる。不要なア プリをタップして削除しよう。

Lightningケーブル
267 ライトニングケーブルを 切断から防ぐには?

Lightning ケーブルは以前に 比べると丈夫になったものの、 根本部分がすぐに劣化して、中 が剥き出しになり給電がうまく いかなくなる。ケーブルの損傷 を事前に保護する簡単な方法と しては、セロハンテープをケー ブルの根本に巻きつける方法が ある。これだけでもそれなりに 切断を防ぐことができる。ほか に、ノック式ボールペンの中に あるバネを Lightning ケーブ ルの根本に巻きつけて保護する テクニックもある。使い切った ボールペンがあるならバネを巻 きつけてみるといいだろう。

ノック式ボールペンを分解して中にあ る小さなバネを取り出す

このようにバネを Lightning ケーブル の根本に巻きつけるだけでかなり根本 が強化される。

268 Siri
ロック画面でSiriを起動させないようにする

Siri はデフォルトだとパスコードロック中の画面でも起動でき、「私は誰？」などと聞くと自分の名前や住所を表示するほか、メール送信や連絡先の他のユーザー情報の閲覧も可能だ。これでは万一 iPad を落とした際に個人情報が簡単に漏れてしまうので、パスコードロック中は Siri を起動させない設定にしておこう。パスコードロックを有効にしてから、「ロック中にアクセスを許可」の「Siri」をオフにすれば OK だ。

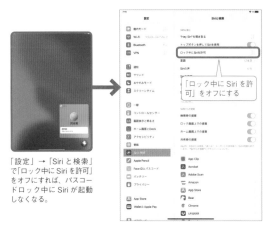

「ロック中に Siri を許可」をオフにする

「設定」→「Siri と検索」で「ロック中に Siri を許可」をオフにすれば、パスコードロック中に Siri が起動しなくなる。

269 トラブル
アップデートしてアプリが起動しなくなったら

アプリのアップデートを実行したらいきなり起動しなくなった……という場合は、一度そのアプリを削除してしまうのが、もっとも早い解決方法だ。心配しなくても、同じ Apple ID でサインインした App Store であれば、アプリの購入履歴が残っており無料でインストールし直せる。ただしアプリ内に自分で保存していた文書やメディアファイルは iCloud にはバックアップされないので、改めて自分で転送する必要がある。

起動しないアプリは一度削除

一度購入したアプリは、App Store から無料で再インストールできる

アプリの長押しして「App を削除」で一度アプリを削除してから、App Store でそのアプリをインストールし直そう。

270 トラブル
インストールしすぎて目当てのアプリを探せない

アプリの数が増えてくると、いちいちページをめくってアイコンを探し出すのも一苦労だ。アプリ名がわかっているなら、標準の検索機能「Spotlight」を利用しよう。ホーム画面を下にスワイプすると検索画面が表示されるので、アプリ名を入力して検索。ヒットしたアプリ名をタップすれば、そのアプリが起動する。なお Spotlight ではアプリのほか、連絡先やメール、Web や Wikipedia なども検索できる。

ホーム画面を下にスワイプすると Spotlight 検索画面になる

ホーム画面を下にスワイプして Spotlight 検索を開いたら、キーワードでアプリを検索。検索結果のアプリ名をタップすれば、そのアプリが起動する。

271 トラブル
いざという時はアップルサポートを利用しよう

iPad で解決できないトラブルや不具合が発生したときは、Apple 公式のトラブル対策アプリ「Apple サポート」を利用しよう。自分が利用している Apple 製品を選択し、トラブル項目を選択すれば解決案を提示し、近くにある持ち込み修理可能なアップルストアを表示してくれる。アプリ上からスタッフに直接問い合わせることも可能だ。

App

Apple サポート
作者／Apple
価格／無料

起動すると利用している Apple ID と紐付けられた Apple 端末が表示される。iPad をタップするとさまざまなトラブルに関する項目が表示される。

アプリ上から Apple サポートとすぐにチャットを始めたり、電話で問い合わせることもできる。近くの持ち込み修理可能なストア検索もできる。

272 充電 緊急用のモバイル バッテリーがあると便利

外出先での電池切れに頼りになるモバイルバッテリーだが、iPad用に使う場合は、まずバッテリーが大きいぶん充電に時間がかかるので、2A出力に対応したものが望ましい。また、容量としては最低でも10,000mAh以上、できれば20,000mAhぐら

いのものがオススメだ（重量はある程度重くなってしまうが）。ただ実際には12,000mAhのバッテリーを使っても、ロスが発生して満充電はできないので、半分程度充電できれば十分と考えよう。

cheero Power Plus 3 13400mAh
メーカー：cheero
容量：13400mAh
サイズ：92 × 80 × 23 mm
重量：245g
実勢価格：3,000 円

手のひらに乗るサイズながら13400mAhの大人気モバイルバッテリー。抜群のコストパフォーマンスが魅力だ。

Power Bank AP20000D-DGT-5V
メーカー：ADATA
容量：20,000mAh
サイズ：163 × 80.6 × 23.3mm
重量：約450g
実勢価格：2,655 円

20,000mAhの大容量を誇り、正確な電力残量を教えてくれるディスプレイも搭載しているので安心。少し重量は重めだが、iPadに最適だ。

273 マスト！ Apple ID Apple IDのパスワードを 忘れてしまったら？

もしApple IDのパスワードを忘れてしまったら、iTunes Storeアプリのトップ画面下にあるApple IDをタップ。「iForgot」をタップするとSafariが起動し、パスワードの再設定ページが開く。また、Apple

ID自体を忘れてしまった場合は「https://iforgot.apple.com/appleid」へパソコンからアクセスし、氏名やメールアドレスなどで検索してApple IDを検索する。

タップ

Safariで Appleのパスワード設定ページが開くので、Apple IDを入力して画面の指示に従ってパスワードを再設定する。

274 トラブル パスコードを忘れてしまった時は…

かなり大変! ミュージックで復元作業を行うしかない

iPadのパスコードを忘れて操作できなくなった場合は、パソコンと接続してミュージックを起動しよう。パスコードロックがかかった状態でも同期できるので、まずiPadのデバイス管理画面を開き、「一般」タブの「今すぐバックアップ」をクリック。現時点でのバックアップをパソコンに作成しておく。あとは「iPadを復元」を実行し、初期化されたのちに「このバックアップから復元」で先ほど保存したバックアップを指定すればよい。ただし、「iPadを探す」が有効になっていると復元はできない点は要注意だ。

1 iTunesでバックアップ&復元

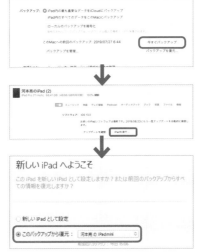

iTunesと接続したら、まず「今すぐバックアップ」でバックアップを作成してから「iPadを復元」を実行。直前に作成したバックアップから復元する。

2 パスコードがリセットされる

復元後はアプリ同期が開始されるのでしばらく待とう。元の環境に戻った上でパスコードが解除されており、「設定」からパスコードを再設定できるはずだ。

275

トラブル

iPadをなくした時の対処を
マスターしておこう

「iPadを探す」を有効にすれば紛失したiPadを探せる！

iPad をどこかに置き忘れても、「iPad を探す」機能さえ有効にしておけば見つかる可能性がグンとあがるので、設定を済ませておこう。まず「設定」→「Apple ID」→「探す」を開き「iPad を探す」を有効にする。また「プライバシー」→「位置情報サービス」をオンにして「システムサービス」の「iPad を探す」がオンになっていることを確認する。これで準備はオーケーだ。

実際に iPad を紛失した際には、ブラウザで「icloud.com」にアクセスして「iPhone を探す」画面を開く。または iPhone など手元にある iOS デバイスで、「探す」アプリを使ってもよい。紛失した iPad がネットに繋がっていれば、現在地が地図上に表示されるはずだ。この時「サウンドを再生」をクリックすれば iPad 側で警告音が鳴る。また「紛失モード」で取得者に向けた連絡先やメッセージを入力すれば、iPad にそのメッセージが表示される。紛失モードでは、パスコードロックを設定することも可能だ。さらに iPad の発見よりも情報漏えいの阻止が優先、という人は、「iPad の消去」で中身のデータを消して初期化することもできる。ただし位置情報も検出できなくなるので注意が必要だ。

もし端末の位置が動き続けたり、知らないアパートの中にあった場合は盗難のおそれがある。メッセージを発信しつつ、反応がないようであれば、警察に連絡しても問題ない。

「iPadを探す」の設定と紛失したiPadの探し方

1 iPadを探すをオンにしておく

あらかじめ設定の「Apple ID」→「iCloud」を開き、「iPad を探す」をオンにしておく。「最後の位置情報を送信」を有効にするとバッテリー切れになる直前にメールで位置情報を送信してくれる。

2 icloud.comなどでiPadの位置を確認

iPad を紛失したら、icloud.com で「iPhone を探す」を選択すると、紛失した iPad の現在地を地図で確認できる。または「iPhone を探す」アプリでも探せる。

複数デバイスがある場合は、ここでデバイスを選択

3 サウンド再生やパスコードロック

地図上に表示されている「サウンドを再生」を実行すると iPad 側で警告音が鳴る。また「紛失モード」でパスコードの設定が可能だ。

河本亮 の iPadmini
1分前

必要な遠隔操作の方法を選んで操作しよう

4 紛失モードに設定

紛失モードでパスコード設定後、現れる入力画面で連絡先の電話番号を入力。iPad の画面に電話番号が表示されるようになる。

連絡先の電話番号を入力

276

返金

問題のあるアプリの
返金を要求するには?

「問題を報告する」ページで返金処理を行う

App Storeでダウンロードするアプリの中には、誤って購入したアプリや購入したもののバージョンが古くてうまく動作しないものもある。無料アプリであればそのままアンインストールしてしまえば問題ないが、有料アプリの場合は支払い分をきちんと取り戻したいもの。そんなときは、「問題を報告する」ページにアクセスしよう。このページでは、過去90日間の間にユーザーが購入したアプリに対する問題を報告することができる。間違って購入したアイテムの返金を申請したり、アプリの不具合のトラブルを報告して改善要請を出すことが可能だ。

「問題を報告する」をクリック

1 「問題を報告する」ページにアクセスする

Appleの「問題を報告する」(https://reportaproblem.apple.com/)というウェブページにSafariでアクセスして、Apple IDとログインパスワードを入力しよう。問題を報告したいアプリ横にある「問題を報告する」をクリックする。

2 返金理由をメニューから選択する

プルダウンメニューから返金理由を選択して、詳細内容を下の入力フォームに入力して送信しよう。

返金理由を選択する

送信する

マスト!

277

トラブル

動作にトラブルが発生したときの
対処方法

アプリやiPad本体を再起動するのが基本

iPadを使っていて、特定のアプリの動作がおかしくなったり、またiPad自体の動作が不安定になったときの対処の基本は「再起動」することだ。アプリの場合は、画面を閉じただけでは完全に終了せず、マルチタスクで動作中のままとなっている。アプリを完全に終了させるには、Appスイッチャーから完全に終了させよう。iPad全体を再起動する場合は電源を長押しして電源オフを行おう。もし、終了できない場合は電源ボタンとホームボタンを5秒ほど長押しすれば、強制終了させることが可能だ。

1 Appスイッチャーからアプリを終了

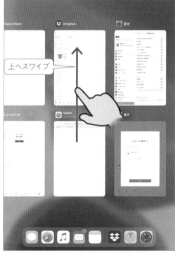

上へスワイプ

ホームボタンを2回連続で押すとAppスイッチャーが起動するので、終了したいアプリを選び、上へスワイプしよう。これでアプリを完全終了できる。

2 iPadを再起動

iPadを再起動するには電源ボタンを長押しし、表示される電源オフ画面でスイッチを右へスライドすればよい。

278

トラブル
シューティング

液晶が割れてしまったり
ヒビが入ってしまったら?

Apple Care+の保障が効くか調べてから対処しよう

iPadの液晶にヒビが入ってしまったら、一般修理業者に出すと法外な値段をとられる上、個人情報の流出にも不安だ。安全性を重視するならAppleサポートに依頼しよう。購入後1年以内なら無償になる可能性があり（故意の事故でない場合）、ほかに「AppleCare+ for iPad」に加入していれば割安の4,400円で修理に出すことができる。保障が有効かどうかは「Appleサポート」で簡単にチェックできる。

App

Appleサポート
価格:無料　作者:Apple

1 Apple Care+の保障を確認する

Appleサポートを起動したら、「デバイスの詳細」をタップ。すると利用している端末のApple Care+の保証が有効か教えてくれる。

2 Apple正規の修理店舗を探す

トップ画面で「修理と物理的な損傷」をタップすると「正規ストア」をタップすると周辺位置情報を使って修理可能なApple正規ストアを探し、予約もすることができます。

279

トラブル
シューティング

画面が真っ暗になり
iPadが反応しなくなった

バッテリー切れやフリーズが原因の可能性

iPadを触ると画面が真っ暗で、何も反応しないときがある。原因としてまず考えられるのはバッテリー切れだ。バッテリー切れで真っ暗になっている場合は充電をしよう。充電器に差し込むと一瞬だけ、赤いバッテリーマークが表示され、その後いったん消え、10分ほどすると緑色の充電マークが表示される。バッテリー切れが原因でない場合はフリーズの可能性がある。フリーズの場合はiPadを強制終了して再起動することで回復することが可能だ。

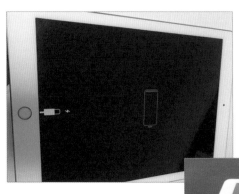

1 バッテリー切れの疑い

バッテリー切れが原因のときは充電器に接続しよう。赤いバッテリーアイコンが表示され、しばらく経つと真っ暗になり、10分程度すると通常の緑のバッテリーアイコンに戻る。

2 システムフリーズの疑い

フリーズが原因で真っ暗になっている場合はホームボタンと電源ボタンを10秒ほど同時に長押しし強制終了し、再起動しよう。

280

トラブル

トラブルが解決出来ない時の iPadリセット方法

まずは設定だけ リセット、ダメなら 初期化しよう

何をしてもiPadの不具合が直らない、という時の最終手段がiPad本体のリセットだ。リセットには2種類あり、「すべての設定をリセット」を実行した場合は、iPadの設定だけが初期化され、iPad内のデータやメディアは残ったままになる。まずはこのリセットを試してみて、効果がないようであれば、その下の「すべてのコンテンツと設定を消去」を実行してみよう。これはiPadを工場出荷時の設定に戻す機能で、2回表示される警告画面で「消去」をタップすれば、iPadの初期化が開始される。

なお定期的にiCloudやiTunesへのバックアップが実行されていれば、初期化後の復元作業も簡単だ。初期化後の画面で言語設定やWi-Fi接続設定を済ませ、「iPadを設定」画面で「バックアップから復元」を選択。Apple IDでサインインし、「このiPadの最新のバックアップ」を選んで「復元」をタップすれば、バックアップ時点のホーム画面やアプリが復元される。ただしiCloudにバックアップしたデータから復元すると、途中でWi-Fiが途切れてデータ復元に失敗することがある。また、iCloudのバックアップに使える容量は無料で5GBまでだったり、iCloudに対応していないアプリのデータは復元できない欠点がある。

完全なiPadのデータのバックアップと復元をするならパソコンを使ったほうがよいだろう。iPad内のほぼすべてのデータと設定情報をバックアップして復元することができる。

iPadの初期化とiPadの復元手順

iPadの設定だけをリセットする

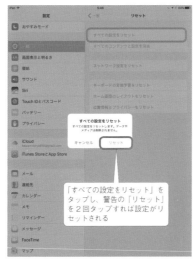

「すべての設定をリセット」をタップし、警告の「リセット」を2回タップすれば設定がリセットされる

設定の「一般」→「リセット」→「すべての設定をリセット」で、iPadの設定だけリセットできる。この方法だとiPad内のメディアなどは削除されない。

全データを削除して初期化する

「すべてのコンテンツと設定を消去」をタップし、警告の「消去」を2回タップすれば初期化開始

設定のリセットで直らない場合、「すべてのコンテンツと設定を消去」を実行すれば、iPadの全データが削除され、工場出荷時の状態に戻る。

バックアップから復元する

「iCloud〜」はWi-Fi接続でiCloudバックアップから復元、「MacまたはPCから復元」はパソコンと接続してiTunesバックアップから復元できる

iPadが初期化されたら、設定を進めていき「iCloudバックアップから復元」を選択。「MacまたはPCから復元」を選べば、パソコンからでも復元できる。

iTunesに接続して復元

復元ポイントを選択

初期化後、iTunes（Macの場合はミュージックアプリ）につなげると復元設定画面が表示される。「このバックアップから復元」で復元ポイントを選択すれば、以前の状態に戻すことができる。

掲載アプリINDEX

気になるアプリ名から記事掲載ページを検索しよう。

Staff

Writer　河本亮
　　　　小暮ひさのり
　　　　小原裕太

Designer　高橋コウイチ（wf）

DTP　西村光賢

絶 賛 発 売 中 ！

iPad 仕事術! SPECIAL 2020

iPadの手書き機能のみに焦点を絞った濃密な解説書です。手書きノートの使い方、アプリの比較などに関心のある方は必読です。

価格:1,100円+税
発行:スタンダーズ株式会社

iPad
便利すぎる!
280のテクニック

2020年10月25日発行

編集人　内山利栄

発行人　佐藤孔建

発行・
発売所　スタンダーズ株式会社
　　　　〒160-0008 東京都新宿区
　　　　四谷三栄町12-4 竹田ビル3F
　　　　営業部（TEL）03-6380-6132
　　　　書店様向け注文（FAX）03-6380-6136

印刷所　株式会社シナノ